2

GOD DELIVERS

하나님의 구출 계획

THE GOSPEL PROJECT®

The Gospel Project for Kids

is published quarterly by LifeWay Christian Resources,
One LifeWay Plaza, Nashville, TN 37234, Thom S. Rainer, President

가스펠 프로젝트

구약 2
하나님의 구출 계획

고학년 교사용

지은이 · LifeWay Kids
옮긴이 · 안윤경
감수 · 김도일, 김병훈, 이희성

초판 발행 · 2017. 2. 13
5쇄 발행 · 2021. 7. 23
등록번호 · 제1988-000080호
등록된 곳 · 서울특별시 용산구 서빙고로65길 38
발행처 · 사단법인 두란노서원
영업부 · 02) 2078-3352, 3452, 3752, 3781 FAX 080-749-3705
편집부 · 02) 2078-3437
표지디자인 · 더그램
활동연구 · 권지영, 이경선, 한승우, 홍선아

책값은 뒤표지에 있습니다.
ISBN 978-89-531-2751-7 04230 / 978-89-531-2702-9 (세트)

홈페이지 · gospelproject.co.kr / **두란노몰** · mall.duranno.com

차례

이렇게 활용해 보세요!

① 단원 개요 · 각 과의 목표

- '가스펠 프로젝트'(하나님의 구원 계획)의 연대기적 큰 흐름 속에서 각 단원과 각 과의 주제를 살펴봅니다.

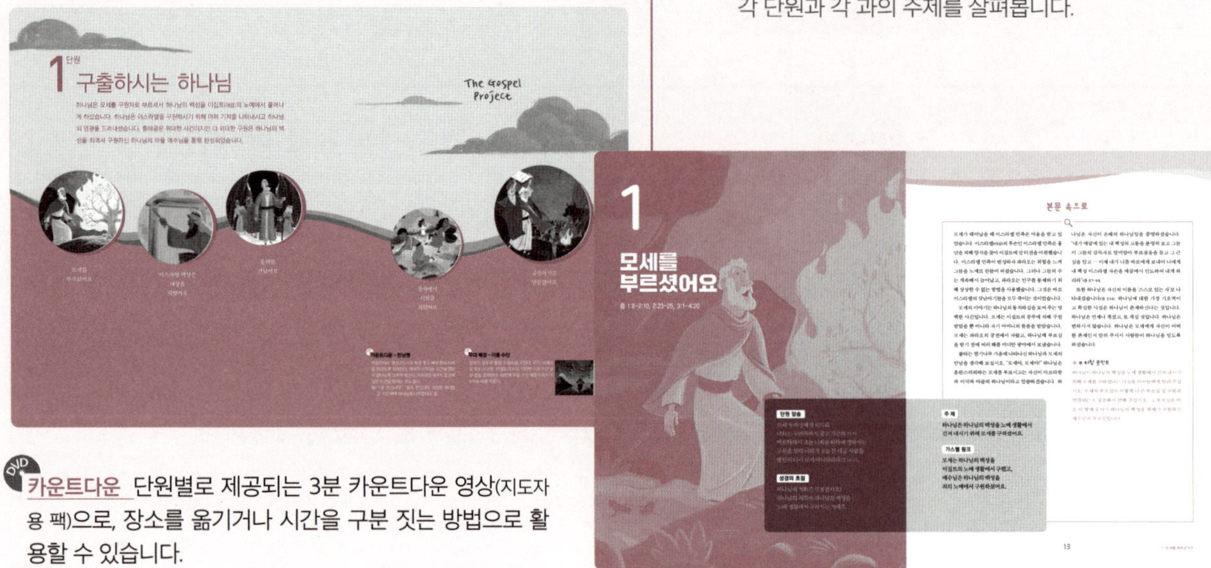

DVD **카운트다운** 단원별로 제공되는 3분 카운트다운 영상(지도자용 팩)으로, 장소를 옮기거나 시간을 구분 짓는 방법으로 활용할 수 있습니다.

DVD **무대 배경** 단원별 설교의 도입(들어가기)에서 공통적으로 활용할 수 있는 무대 데코 아이디어로, 배경 이미지(지도자용 팩)를 화면에 띄워 사용할 수 있습니다.

단원 암송 단원의 핵심 메시지가 담긴 성경 구절입니다.

성경의 초점 본문과 관련된 성경의 중심 주제(핵심 교리)를 문답의 형식으로 정리한 문장입니다. 단원의 성경의 초점을 익히며 성경의 흐름을 이해하게 합니다.

주제 각 과의 핵심 줄거리를 파악할 수 있습니다.

가스펠 링크 성경 이야기에 담긴 복음을 발견하게 합니다. 모든 성경 이야기는 그리스도와 연결됩니다.

본문 속으로 이 과를 준비하며 묵상할 내용과 티칭 포인트를 제시합니다. 청장년용 《가스펠 프로젝트》로 교사 소그룹 모임에서 더 깊은 묵상을 나누며 성경 읽기를 병행할 것을 권유합니다. 부모 소그룹 모임은 교회와 가정을 연계해 교육 효과를 더욱 높여 줄 것입니다.

말씀 묵상 ②

- 말씀을 묵상하며 어떻게 가르칠 것인가를 기도로 준비합니다.

DVD **이야기 성경** '가스펠 설교'에서 사용하는 구어체 설교입니다. 같은 내용의 영상이 지도자용 팩에 있습니다.

환영 아이들을 맞이하며 나눌 수 있는 대화의 소재를 제안합니다.

마음 열기 이 과의 주제와 연결된 간단한 게임 활동을 소개합니다.

③ 가스펠 준비

- 사전 활동을 살펴봅니다.

4 가스펠 설교

- **도입 - 전개 - 가스펠 링크 - 복음 초청 - 적용**에 이르는 설교 가이드입니다.

들어가기 도입 아이디어를 소개합니다.

복음 초청 매주 복음을 전하고 영접 기도를 이끌 수 있는 초청 대화를 담았습니다.

찬양 단원 주제를 담은 찬양, 악보, 율동을 지도자용 팩, 가스펠 프로젝트 홈페이지(gospelproject.co.kr)에서 만날 수 있습니다.

적용 에피소드를 담은 영상과 질문이 담겨 있습니다. 설교 도입이나 적용 부분에서 활용하거나 영상을 본 뒤 소그룹 모임에서 풍성한 대화를 이어 가는 방법도 추천합니다.

연대표 가스펠 프로젝트(하나님의 구원 계획)의 큰 흐름 속에서 각 과의 위치를 파악해 봅니다.

가스펠 소그룹 5

- 예배 후 소그룹 모임에서 배운 내용을 되새길 수 있는 다양한 활동을 소개합니다.

보물 상자 성경의 메시지와 내 삶을 연결해 보고, 하나님과 일대일 대화를 나누듯 마음을 고백하는 마무리 활동입니다.

나침반 재미있는 게임 활동으로 단원 암송을 익히게 합니다. 부록의 단원 암송 자료와 지도자용 팩의 파일을 활용할 수 있습니다.

보물 지도 퀴즈와 게임을 통해 성경 이야기를 되새기는 복습 활동입니다.

탐험하기 성경 이야기의 의미를 묵상하며 주제, 가스펠 링크, 성경의 초점 등을 복습하는 확장 활동입니다.

메시지 카드 각 과의 핵심 내용과 가족과 함께하는 활동을 담았습니다.

* 지도자용 팩의 PC 전용 DVD-Rom에 영상, 그림, 음원, 악보, PPT 등의 자료가 있습니다.

발간사

두란노서원을 통해 라이프웨이(LifeWay)의 《가스펠 프로젝트》 성경 공부 교재 시리즈를 발간할 수 있도록 인도하신 하나님께 감사드립니다. 험한 소리로 가득한 세상에 이 책을 다릿돌처럼 놓습니다. 우리 삶은 말씀을 만난 소리로 풍성해져야 합니다. 주님을 만난 기쁨의 소리, 진실 앞에서 탄식하는 소리, 죄를 씻는 울음소리, 소망을 품은 기도 소리로 가득해야 합니다.

《가스펠 프로젝트》는 신구약을 관통하는 예수 그리스도의 복음을 발견하고, 그 가르침을 삶에 적용하는 지혜를 얻도록 기획한 성경 공부 교재입니다. 어린아이부터 어른에 이르기까지 생애 주기에 따른 복음 메시지를 잘 배울 수 있습니다. 또한, 거짓 진리가 미혹하는 이 시대에 건강한 신학과 바른 교리로 말씀을 조명하여 성도의 신앙이 좌로나 우로나 치우치지 않도록 돕습니다.

두란노서원은 지금까지 "오직 성경, 복음 중심, 초교파적 관점"을 바탕으로 한국 교회와 성도를 꾸준히 섬겨 왔습니다. 오직 성경의 정신에 입각해 책과 잡지를 출판해 왔으며, 성경에 근거한 복음 중심의 신학을 포기한 적이 없습니다. 그리고 교단과 교파를 초월하여 교회와 성도가 하나님 나라를 바라볼 수 있도록 돕기 위해 노력해 왔습니다. 《가스펠 프로젝트》는 두란노가 지켜 온 세 가지 가치를 충실하게 담은 책입니다.

성경은 구원을 위한 책이며, 구원사의 주인공은 예수 그리스도입니다. 창세기부터 요한계시록까지 오직 예수 그리스도의 복음만을 전하는 《가스펠 프로젝트》 성경 공부 교재를 통해 복음의 은혜와 진리를 깊이 경험하고, 복음 중심의 삶이 마음 판에 새겨지기를 바랍니다. 그리고 예수 그리스도 복음에 굳게 선 한 사람의 영향력이 가정과 교회와 사회에 흘러감으로써 거룩한 하나님 나라가 확산되어 가기를 소망합니다.

두란노서원 원장 **이 형 기**

감수사

《가스펠 프로젝트》는 어린이와 청소년 성경 공부를 위한 좋은 교재입니다. 그들이 이해할 수 있는 언어로 성경을 자세히 알 수 있도록 도와주고 있기 때문입니다. 어린이와 청소년의 발달심리에 익숙한 전문가들을 포함해 많은 사람이 참여해 애쓴 흔적이 보입니다.

《가스펠 프로젝트》는 인류를 향한 하나님의 구원 계획인 복음을 다음과 같은 과정으로 설명합니다. "첫째, 하나님은 다스리신다. 둘째, 우리는 죄를 범했다. 셋째, 그러나 하나님은 공급하신다. 넷째, 하나님의 아들 예수 그리스도께서는 우리에게 영생을 주시고 우리를 초청하신다. 다섯째, 우리는 예수님의 초청에 응답해야 한다." 이와 같이 《가스펠 프로젝트》는 복음을 주시는 하나님의 계획에 사람이 어떻게 반응해야 하는지를 간단하게, 그리고 핵심을 놓치지 않고 잘 설명합니다. 그러므로 《가스펠 프로젝트》에 참여하는 교사와 학생은 하나님의 주권과 언약, 신실하심과 사랑을 배우고 깊이 느낄 수 있을 것입니다. 성령의 인도하심에 순종하는 것이 얼마나 복된지 몸소 체험할 수 있을 것입니다.

그때, 그곳에서, 그들에게 주어졌던 하나님의 말씀을 지금, 여기에서, 우리에게 주어지는 하나님의 말씀으로 받아들이고 해석하려면 해석학적 간격(hermeneutical gap)이 존재한다는 점을 유념하고, 말씀을 적절하게 해석해 적용해야 합니다. 하나님의 말씀은 성령의 조명을 받아 학문이 없는 사람도 그 핵심적인 메시지를 이해할 수 있지만, 모든 성경을 자의적으로 해석하는 우를 범해서는 안 됩니다. 《가스펠 프로젝트》는 이러한 해석상의 오류를 최소한도로 줄여 줄 수 있다고 봅니다. 가능하면 말씀에 담긴 메시지를 전달하려고 노력했기 때문입니다. 이런 점에서 《가스펠 프로젝트》는 하나님의 마음을 더 깊이 이해하기 위한 기본적인 성경 지식을 제공해 주고, 말씀의 깊은 샘으로 들어가 맛있는 물을 마실 수 있도록 돕는 좋은 통로입니다.

《가스펠 프로젝트》로 성경을 공부하게 되면 성경 말씀을 사랑하게 될 것입니다. 어린이들과 청소년들도 '말씀이 참 재미있고 유익하구나'라고 느끼게 될 것입니다. 레너드 스윗이 말한 것처럼, 미래 세대는 경험적, 참여적, 이미지 중심적, 연결적(EPIC) 사역을 통해 말씀 속으로 자발적으로 들어와야 거룩한 하나님의 백성이 될 수 있기 때문입니다.

모쪼록 《가스펠 프로젝트》를 통해 모든 세대가 하나님을 더 넓고 깊게 알아 가며, 성령의 도우심 가운데 예수님의 튼실한 제자로 성장하기를 원합니다. 아울러 세상 속에서 하나님 나라를 확장시켜 나가는 하나님의 백성이 되는 기초를 체계적으로 다질 수 있기를 바랍니다. 《가스펠 프로젝트》는 오직 믿음, 오직 성경, 오직 은혜, 오직 그리스도를 통해 하나님께 영광 돌리는 데 큰 도움이 될 것입니다.

김도일 _ 장로회신학대학교 기독교교육학 교수

《가스펠 프로젝트》는 무엇보다도 전통적으로 교회가 풀어 온 흐름을 충실히 따라 성경을 해설하고 있습니다. 그리고 그 방향은 궁극적으로 예수 그리스도를 향해 나아가고 있습니다. 이것은 예수님이 구약과 신약의 모든 성경이 자신을 가리키고 있다고 하신 말씀에 비추어 매우 타당한 것입니다. 게다가 그리스도 중심적 해설을 무리하게 전개하지 않습니다. 각 본문에서 하나님의 구원 언약과 그것을 실현하시는 하나님을 드러내면서, 그리스도의 예표적 설명이 가능한 사건을 놓치지 않고 풀어내고 있습니다.

성경 공부 교재는 명시적으로 혹은 암시적으로 제시하

는 교리적 진술이 교리 체계상 건전해야 합니다. 《가스펠 프로젝트》는 99개 조에 이르는 핵심 교리들을 일목요연하게 제시하여 교리의 건전성을 확인할 수 있도록 도움을 줍니다. 《가스펠 프로젝트》의 교리는 교파를 막론하고, 예수 그리스도의 복음에 충실한 복음주의 교회들에게 환영받을 만합니다. 물론 교파마다 약간의 이견을 갖는 부분들이 있을 수 있겠지만, 각 교회에서 교재를 활용하는 데에 무리가 없을 것입니다. 《가스펠 프로젝트》의 특징은 각 과에서 학습한 내용을 핵심 교리와 연결해 주며, 그 결과 그리스도의 복음에 관련한 교리적 이해를 강화시킨다는 데에 있습니다.

끝으로 《가스펠 프로젝트》는 어떤 성경 주해서나 교리 학습서가 갖지 못하는 훌륭한 장점을 가지고 있습니다. 그것은 학습자를 하나님과 그리스도의 복음 앞으로 이끌며, 자신의 신앙과 삶을 돌아보도록 하는 적용의 적실성과 훈련의 효과입니다. 아울러 본문과 관련한 교회사적으로 또 주석적으로 중요한 신학자와 목사의 어록을 제시하고, 심화 토론을 위한 질문을 달아 주고, 선교적 안목을 열어 주는 적용 질문들을 더해 준 것은 《가스펠 프로젝트》에서 얻을 수 있는 커다란 유익입니다.

추천할 만한 마땅한 성경 공부 교재를 찾기가 쉽지 않은 현실에서 《가스펠 프로젝트》는 성경을 개괄적으로 매주 한 과씩 3년의 기간 동안 일목요연하게, 그리고 그리스도 중심적으로 공부하도록 이끌어 준다는 점에서, 한국 교회의 기초를 성경 위에 놓는 일에 커다란 공헌을 할 것으로 믿어 의심치 않습니다.

김병훈 _ 합동신학대학원대학교 조직신학 교수

"보라 날이 이를지라 내가 기근을 땅에 보내리니 양식이 없어 주림이 아니며 물이 없어 갈함이 아니요 여호와의 말씀을 듣지 못한 기갈이라"(암 8:11). 주전 8세기 아모스 선지자의 외침이 오늘 이 시대에 다시 메아리쳐 오고 있습니다. 두란노의 《가스펠 프로젝트》는 성도들이 겪고 있는 영적인 갈증과 혼란을 해소해 줄 수 있는 유익한 성경 공부 교재입니다.

첫째, 《가스펠 프로젝트》는 성경 전체 흐름과 문맥에 따라 구성되어 성경의 큰 그림을 볼 수 있도록 도와줍니다. 또 성경 각 본문의 의미를 깊이 이해할 수 있도록 해당 분야의 전문 성경 신학자들의 주석적 견해를 잘 소개하고 있습니다. 둘째, 본문 연구와 함께 관련 핵심 교리들을 적절하게 소개하여 성경과 교리를 연결할 수 있습니다. 또 모든 과에서 그리스도와의 연결점을 찾아 제시함으로써 구약 본문을 통해서도 복음을 깨달을 수 있습니다. 성경 공부 전 과정을 마치면 성도들이 복음에 대한 견고한 믿음을 가지게 될 것입니다. 셋째, 성경 공부 적용의 초점을 선교에 맞추어 성도들이 삶의 현장에서 복음의 증인으로서의 사명을 감당할 수 있게 도와줍니다. 마지막으로 주일학교에서 장년에 이르기까지 동일한 주제와 본문으로 성경을 공부하도록 구성하였기 때문에 모든 교인이 한 말씀 안에서 한 믿음의 공동체를 이루며 성숙해 가는 영적 부흥을 경험하게 될 것입니다.

두란노의 《가스펠 프로젝트》를 통해 말씀이 갈급한 기근의 시대에 영적 해갈의 기쁨을 경험하시기 바랍니다.

이희성 _ 총신대학교 구약학 교수

추천사

우리를 향한 하나님의 멈추지 않는 사랑, 아들을 내어 주신 아버지 하나님의 놀라운 구원 계획에 눈뜨게 하는 교재입니다. 성경을 꿰뚫는 변함없는 메시지, 예수 그리스도를 만날 수 있는 교재입니다. 유익한 활동과 흥미로운 반복 학습을 통해 기독교 핵심 주제를 접하고, 말씀을 가까이하며, 가족과 묵상을 나누도록 이끄는 방식에 기대가 큽니다. 다양한 소재의 영상과 그림 자료는 시청각 자료가 부족한 교육 현장에 큰 활력을 불어넣어 줄 것입니다. 교재 내용에 맞게 창작된 찬양은 곡조가 있는 산 기도를 체험하게 도와줄 것입니다. 무미건조한 습관적 예배, 아이들과 소통하지 못해 안타까워했던 부모와 교사, 다음 세대를 걱정하는 교회 지도자들에게 이 교재를 추천합니다.

김요셉 _ 중앙기독학교 교목, 원천침례교회 목사

우리 시대의 전 세계적 교회 부흥은 두 가지 샘을 갖고 있습니다. 한 샘은 오순절 부흥 운동의 샘입니다. 이 샘으로 많은 시대의 목마른 영혼들이 목마름을 해갈했습니다. 또 하나의 샘은 성경 연구의 샘입니다. 남침례교 주일학교 운동은 이 샘의 개척자입니다. 이 샘으로 지금도 많은 성도가 목마름을 해갈하고 있습니다. 미국 남침례교 라이프웨이 출판사는 성경 연구를 돕는 사역을 충실히 감당해 왔습니다. 《가스펠 프로젝트》는 목마른 영혼들의 필요를 공급하는 원천이 될 것입니다. 《가스펠 프로젝트》는 쉬우면서도 결코 피상적이지 않습니다. 믿음의 단계를 따라 하나님의 자녀들에게 꼭 필요한 복음의 진수를 맛보게 해 줄 것입니다.

이동원 _ 지구촌교회 원로 목사, 지구촌 미니스트리 네트워크 대표

성경을 공부한다는 것은 성경에 기록된 사실을 배우는 것이 아니라 성경이 가르치는 교리를 배우는 것입니다. 왜냐하면 성경은 독자에게 어떤 새로운 정보를 주기 위해 인간이 쓴 책이 아니라 죄인인 인간에게 구원을 주기 위해 하나님이 쓰신 말씀이기 때문입니다. 그런데 이 구원의 도리인 교리를 성경 본문을 통해 배우기가 쉽지 않기 때문에 좋은 안내서가 필요합니다. 이번에 출간된 《가스펠 프로젝트》는 이와 같은 역할을 탁월하게 수행하고 있기 때문에 기쁜 마음으로 추천합니다.

이성호 _ 고려신학대학원 역사신학 교수

성경은 예수 그리스도를 중심으로 하는 하나님의 구원 이야기입니다. 《가스펠 프로젝트》는 성경이 어떻게 그리스도와 연결되어 있는지, 또 성도의 삶이 하나님의 구원 계획에 어떻게 연결되어야 하는지를 구체적으로 제시합니다. 특히 《가스펠 프로젝트》는 하나의 본문으로 각 연령에 맞게 구성한 교재를 제공해 하나의 본문으로 전 세대를 연결하고, 가정과 교회를 하나 되게 합니다. 신앙의 전수가 중요한 시대에 성도와 교회와 가정이 한마음으로 다음 세대를 준비시키기에 적합합니다. 특히 가정에서 부모가 자녀와 말씀으로 대화를 나눌 수 있게 해 자녀의 신앙 교육에 도움이 될 것입니다.

이재훈 _ 온누리교회 담임 목사

예수님은 친히 요한복음 5장 39절에서, 모든 성경은 예수님 자신에 대한 증거라고 말씀하셨습니다. 그럼에도 불구하고, 성도들은 그 속에서 예수님이라는 보석을 쉽게 찾아 내지 못하고 있습니다. 《가스펠 프로젝트》는 신앙생활을 출발하는 어린이부터 장년까지 이런 눈을 활짝 열어 주는 놀라운 교재입니다. 요람에서부터 무덤까지 각 연령대에 맞게 구성된 《가스펠 프로젝트》 성경 공부 교재를 통해, 한국 교회와 이민 교회가 잃어버린 예수님을 다시 발견함으로 견고하게 되기를 바랍니다.

최병락 _ 강남중앙침례교회 담임 목사

1 단원

구출하시는 하나님

하나님은 모세를 구원자로 부르셔서 하나님의 백성을 이집트(애굽)의 노예에서 풀려나게 하셨습니다. 하나님은 이스라엘을 구원하시기 위해 여러 기적을 나타내시고 하나님의 영광을 드러내셨습니다. 출애굽은 위대한 사건이지만 더 위대한 구원은 하나님의 백성을 죄에서 구원하신 하나님의 아들 예수님을 통해 완성되었습니다.

모세를
부르셨어요

이스라엘 백성은
재앙을
피했어요

홍해를
건넜어요

The Gospel Project

광야에서
시험을
치렀어요

금송아지를
만들었어요

카운트다운 – 런닝맨

카운트다운 영상(지도자용 팩)을 틀고 예배 준비 자세를 취하도록 격려한다. 예배가 시작되는 시간에 영상이 끝나도록 맞추어 놓는다. 익숙해질 때까지 중간에 남은 시간을 알리는 것도 좋다.

예) "1분 전입니다", "30초 전입니다. 마음을 가다듬고 기도하며 하나님께 나아갑시다" 등.

무대 배경 – 이동 수단

달리기 경주의 출발 지점처럼 꾸민다. 국기, 세계지도 또는 지구본, 이집트의 지도, 다양한 이동 수단 모형 등을 준비한다. 화면에 이동 수단 배경 이미지(지도자용 팩)를 띄운다.

1

모세를 부르셨어요

출 1:8~2:10, 2:23~25, 3:1~4:20

단원 암송

모세가 백성에게 이르되
너희는 두려워하지 말고 가만히 서서
여호와께서 오늘 너희를 위하여 행하시는
구원을 보라 너희가 오늘 본 애굽 사람을
영원히 다시 보지 아니하리라(출 14:13).

성경의 초점

하나님의 계획은 무엇인가요?
하나님의 계획은 하나님의 백성을
노예 생활에서 구하시는 거예요.

본문 속으로

모세가 태어났을 때 이스라엘 민족은 미움을 받고 있었습니다. 이스라엘(야곱)의 후손인 이스라엘 민족은 흉년을 피해 양식을 찾아 이집트에 살 터전을 마련했습니다. 이스라엘 민족이 번성하자 파라오는 위협을 느껴 그들을 노예로 만들어 버렸습니다. 그러나 그들의 수는 계속해서 늘어났고, 파라오는 인구를 통제하기 위해 상상할 수 없는 방법을 사용했습니다. 그것은 바로 이스라엘의 갓난아기들을 모두 죽이는 것이었습니다.

모세의 이야기는 하나님의 통치하심을 보여 주는 명백한 사건입니다. 모세는 이집트의 공주에 의해 구원받았을 뿐 아니라 자기 어머니의 돌봄을 받았습니다. 모세는 파라오의 궁전에서 자랐고, 하나님께 부르심을 받기 전에 여러 해를 미디안 광야에서 보냈습니다.

불타는 떨기나무 가운데 나타나신 하나님과 모세의 만남을 생각해 보십시오. "모세야, 모세야!" 하나님은 혼란스러워하는 모세를 부르시고는 자신이 아브라함과 이삭과 야곱의 하나님이라고 말씀하셨습니다. 하나님은 자신이 은혜의 하나님임을 증명하셨습니다. "내가 애굽에 있는 내 백성의 고통을 분명히 보고 그들이 그들의 감독자로 말미암아 부르짖음을 듣고 그 근심을 알고 … 이제 내가 너를 바로에게 보내어 너에게 내 백성 이스라엘 자손을 애굽에서 인도하여 내게 하리라"(출 3:7~10).

또한 하나님은 자신의 이름을 '스스로 있는 자'로 나타내셨습니다(출 3:14). 하나님에 대한 가장 기초적이고 확실한 사실은 하나님이 존재하신다는 것입니다. 하나님은 언제나 계셨고, 또 계실 것입니다. 하나님은 변하시지 않습니다. 하나님은 모세에게 자신이 어떠한 존재인지 알려 주셔서 사람들이 하나님을 믿도록 하셨습니다.

티칭 포인트

하나님이 하나님의 백성을 노예 생활에서 건져 내시기 위해 모세를 구하셨다는 사실을 아이들에게 알려 주십시오. 모세의 부르심이 어떻게 더 큰 부르심 및 구원과 연결되는지 강조해서 말해 주십시오. 그 부르심은 바로 이 땅에 오셔서 하나님의 백성을 죄에서 구원하신 예수님의 부르심입니다.

주 제

하나님은 하나님의 백성을 노예 생활에서 건져 내시기 위해 모세를 구하셨어요.

가스펠 링크

모세는 하나님의 백성을 이집트의 노예 생활에서 구했고, 예수님은 하나님의 백성을 죄의 노예에서 구원하셨어요.

모세를 부르셨어요 출 1:8~2:10, 2:23~25, 3:1~4:20

요셉이 가족을 이집트로 데려온 지 수십 년이 지났어요. 요셉은 죽었지만 그의 가족은 계속 이집트에서 살았어요. 요셉의 후손은 '이스라엘 민족'(히브리 민족)으로 불렸어요. 요셉의 가족이 이스라엘(야곱)의 가족에서 시작되었기 때문이에요.

새로운 파라오는 이스라엘 민족의 숫자가 계속 늘어나자 두려워졌어요. 이스라엘 민족이 이집트의 적들과 힘을 합해 공격할까 봐 걱정되어 그들을 노예로 만들고 아주 힘든 일을 시켰어요. 그렇지만 이스라엘 민족은 계속 늘어났답니다! 파라오는 아기를 낳는 일을 돕는 산파들에게 명령했어요. "히브리 여인이 아들을 낳거든 죽여라!" 그러나 그들은 하나님을 두려워해 파라오의 명령을 따르지 않았어요. 그러자 이번에는 모든 백성에게 명령했어요. "갓 태어난 히브리 남자 아기를 모두 강물에 던져라!"

이때 한 히브리 여인이 아들을 낳았어요. 그녀는 아기를 갈대 상자에 누이고 나일 강가 갈대 사이에 두었어요. 아기의 누나 미리암이 숨어서 지켜보고 있었지요. 얼마 후 목욕을 하러 나온 파라오의 딸이 울고 있는 아기를 발견하고는 키우기로 마음먹었어요. 미리암은 공주의 허락을 받아 어머니가 아기를 돌보게 했답니다. 공주는 아기의 이름을 '모세'라고 지었어요.

어른이 된 모세는 이집트를 떠나 목자로 살았어요. 한편 고통받던 이스라엘 민족은 하나님께 부르짖었어요. 하나님은 그들을 구할 계획을 세우셨지요.

어느 날 모세는 떨기나무에 불이 붙은 것을 보았어요. 그런데 떨기나무는 불타지 않았어요. "모세야, 모세야!" 하나님이 떨기나무 가운데서 모세를 부르시자 모세가 대답했어요. "제가 여기 있습니다." 하나님은 신을 벗으라고 말씀하셨어요. "내 백성의 고통을 내가 보았다. 이제 네가 내 백성 이스라엘 자손을 이집트에서 인도해 내가 준비한 땅으로 데려가라."

모세가 하나님께 여쭈었어요. "사람들이 하나님의 이름이 무엇이냐고 물으면 제가 무엇이라고 그들에게 대답해야 할까요?" 하나님은 "나는 스스로 있는 자이니라"라고 답하셨어요. 그리고 이렇게 덧붙이셨지요. "너는 이스라엘 자손에게 '스스로 있는 자가 나를 너희에게 보내셨다'라고 하라."

모세는 "그들이 저를 믿지 않으면 어찌하나요?" 하고 말씀드렸어요. 그러자 하나님은 세 가지 기적을 보여 주셨어요. 모세의 지팡이가 뱀으로 변했다가 다시 지팡이가 되었고, 모세의 손이 병들었다가 다시 나았어요. 그리고 만약 그들이 두 이적을 믿지 않거든 나일 강 물을 조금 떠다가 땅에 부으면 그 물이 땅에서 피가 될 것이라고 말씀하셨어요. 모세는 "오! 주여, 보낼 만한 자를 보내소서"라고 하며 주저했어요. 하나님은 모세를 향해 화를 내셨지만 형 아론을 모세와 함께 보내셨어요.

가스펠 링크

하나님은 하나님의 백성을 노예 생활에서 건져 내시기 위해 모세를 구하셨어요. 모세의 부르심은 더 큰 부르심과 구원을 가리키고 있어요. 이 땅에 오셔서 하나님의 백성을 죄에서 구원하신 예수님의 부르심이에요. 모세와 예수님은 모두 하나님의 명령에 순종해 그분의 구원 계획을 이루었어요. 모세는 하나님의 백성을 이집트의 노예 생활에서 구했고, 예수님은 하나님의 백성을 죄의 노예에서 구원하셨어요.

가스펠 준비

(10~20분)

환영

도착하는 아이들을 반갑게 맞이하고 헌금, 출석, QT 등을 확인하며 격려한다. 새 친구가 있다면 소개한다. 편안한 분위기에서 안부를 물으며 오늘의 말씀과 관련된 화제로 이야기를 나눈다. 아이들에게 용기가 필요한 순간이 있었는지 물어본다. 자발적으로 대화에 참여하도록 이끈다.

예) "무서운 상황에서 용기를 내 본 적이 있나요?", "어떤 상황인지 친구들에게 이야기해 줄 수 있나요?" 등.

마음 열기

귓속말로 전해요 *

① 아이들을 둥글게 앉힌 뒤 한 아이를 뽑아 귓속말로 다음 문장 중 하나를 들려준다.

예) 1. 아기 모세는 자라서 떨기나무 불꽃 가운데서 들리는 하나님의 말씀을 들었어요.

2. 하나님은 완벽한 계획을 갖고 계시고 하나님의 백성을 어려움에서 구해 주세요.

3. 하나님은 모세에게 해야 할 말을 가르쳐 주셨고, 모세를 통해 하나님의 백성에게 말씀하셨어요.

② 아이에게 자신이 들은 문장을 옆 친구에게 귓속말로 전달하라고 말한다.

③ 한 바퀴를 다 돌면, 마지막 아이에게 어떤 문장을 들었는지 질문한다.

④ 아이들에게 원래의 문장을 말해 준 뒤 마지막 아이가 들은 문장과 어떻게 다른지 비교해 본다.

— 오늘의 성경 이야기에서 하나님은 모세가 상상하지 못한 방법으로 모세에게 말씀하셨어요. 떨기나무 불꽃 가운데서 말씀하신 거예요! 하나님은 모세에게 "이제 가라 내가 네 입과 함께 있어서 할 말을 가르치리라"(출 4:12)라고 말씀하셨어요. 모세는 하나님의 백성에게 하나님이 하신 말씀을 그대로 전했어요.

무슨 동물인지 알려 줘 *

준비물 동물 이름을 적은 카드, 셀로판테이프

① 동물의 이름을 각각의 카드에 적어 둔다.

예) 돌고래, 사자, 얼룩말 등.

② 아이마다 등에 동물 카드를 한 장씩 붙여 준다. 이때 아이들이 자기 등에 어떤 동물 카드가 붙어 있는지 알 수 없게 한다.

③ 아이들은 자기 카드에 적힌 동물의 이름을 알기 위해 질문할 수 있고, 다른 아이들은 "예"나 "아니오"로만 답할 수 있다는 규칙을 알려 준다.

예) "이 동물은 정글에 살고 있나요?" 등.

④ 자기 카드에 적힌 동물의 이름을 아는 아이는 손을 들고 이야기하라고 한다.

— 여러분의 카드에 적힌 동물의 이름은 무엇이었나요? 오늘의 성경 이야기에서 하나님은 자신을 '스스로 있는 자'로 소개하셨어요(출 3:14). 자신을 소개하는 말이 좀 이상하지요? 왜 하나님이 그렇게 말씀하셨는지 알아보도록 해요.

가스펠 **설교**

(15~30분)

들어가기

DVD **준비물** 위대한 경주 힌트 카드(지도자용 팩)

운동복을 입고 등장한다. 위대한 경주 힌트 카드와 성경을 들고 있다.

안녕하세요, 여러분! 만나서 반갑습니다. 저는 위대한 경주에 다음 주자로 나가게 되었답니다. 연기하듯 멋진 포즈를 취한다. 진짜 신 나고 멋진 도전이 될 거예요! 귀에 손을 대고 네? 여러분도 저를 도와줄 수 있다고요? 정말요? 와! 멋져요! 그럼 일단 준비 운동부터 같이 해 볼게요. 준비되었나요? 아이들과 함께 간단한 스트레칭을 한다.

좋아요, 이제 가 볼까요! 이것이 첫 번째 힌트예요. 위대한 경주 힌트 카드를 멋있는 모습으로 꺼낸 뒤 큰 소리로 읽는다.

> 오래된 파라오의 땅으로 여행하라.
> 그리고 나일 강까지 헤쳐 나가라.

오래된 파라오의 땅? 나일 강? 아이고, 역사 시간에 좀 더 집중했어야 했는데! 여러분 중에 제가 어디로 가야 하는지 아는 친구 있나요? (이집트) 와! 맞아요, 이집트에 대해서 기억나는 것이 있어요. 여러분도 기억나나요? 여기 성경에 있어요. 성경을 편다.

연대표

우리가 연대표의 어디쯤에 있는지 함께 살펴보아요.

보세요, 여기 요셉이 있어요. 요셉은 아름다운 채색옷을 입었던 사람이지요. 요셉의 형들이 요셉을 이집트에 팔았어요. 하지만 하나님은 요셉의 고난을 선으로 바꾸셨어요! 요셉의 가족은 이집트로 이사해서 큰 가족을 이루었어요. 요셉의 후손은 '이스라엘 민족'이라고 불렸는데, 요셉의 아버지의 이름이 '이스라엘'이었기 때문이에요(이전에는 '야곱'으로 불렸지요).

요셉이 이집트로 팔려 갔어요

요셉의 꿈이 이루어졌어요

모세를 부르셨어요

이스라엘 백성은 재앙을 피했어요

홍해를 건넜어요

광야에서 시험을 치렀어요

성경의 초점

1단원의 '성경의 초점' 질문은 **"하나님의 계획은 무엇인가요?"**예요. 우리는 하나님이 모든 것을 통치하신다는 것을 배우게 될 거예요. 하나님은 하나님의 백성을 위한 계획을 갖고 계세요(렘 29:11). 그럼 이스라엘을 위한 하나님의 계획을 알아볼까요? 오늘의 성경 이야기를 잘 들어 보세요.

성경 이야기

DVD 출애굽기 1~4장을 펴고, 설교 영상(지도자용 팩)을 보여 주거나 이야기 성경을 들려준다.

아, 안 돼요! 새로운 왕인 파라오는 요셉이 이집트를 위해 행했던 위대한 일들을 알지 못했어요. 파라오는 이스라엘 민족의 수가 많아지는 것을 두려워했어요. 그래서 그들을 노예로 만들고 매우 힘든 일을 시켰지요. 그렇지만 이스라엘 민족은 계속해서 번성했어요. 그러자 파라오는 모든 백성에게 히브리 남자 아기를 나일 강에 던지라고 명령했어요. 파라오는 이 아기들이 자라서 어른이 되어 자신을 대적할까 봐 두려워했던 거예요. 이 모든 것은 파라오의 계획이었어요.

그런데 파라오의 계획 말고 이스라엘 민족을 위한 계획을 가진 또 다른 분이 계셨어요. 기억나나요? (하나님) 맞아요, 하나님은 이스라엘 민족을 위한 계획을 갖고 계셨어요! **하나님의 계획은 무엇인가요? 하나님의 계획은 하나님의 백성을 노예 생활에서 구하시는 거예요.**

복/습/질/문

이제부터 성경 이야기에 대해 몇 가지 질문을 할 테니, 답을 아는 사람은 손을 들어 보세요.

1 히브리 여인은 아기를 어디에 담아 나일 강가에 두었나요?

갈대 상자 (출 2:3)

2 아기에게 일어나는 일을 지켜본 사람은 누구인가요?

미리암, 모세의 누나 (출 2:4)

3 아기를 발견하고 불쌍히 여긴 사람은 누구인가요?

파라오의 딸 (출 2:5~6)

4 아기 모세에게 젖을 먹이고 돌본 사람은 누구인가요?

모세의 어머니 (출 2:8~9)

5 이스라엘 민족의 부르짖음을 들으신 분은 누구이신가요?

하나님 (출 2:23~25)

6 하나님은 어디에서 모세에게 말씀하셨나요?

떨기나무 불꽃 가운데 (출 3:4)

7 모세를 향한 하나님의 계획은 무엇이었나요?

하나님의 백성을 이집트에서 인도해 내는 것 (출 3:10)

8 하나님은 자신을 누구로 소개하셨나요?

스스로 있는 자 (출 3:14)

9 하나님의 계획은 무엇인가요?

하나님의 계획은 하나님의 백성을 노예 생활에서 구하시는 거예요.

하나님은 모세를 통한 놀라운 구원의 계획을 갖고 계셨어요! 이것은 하나님의 더 큰 구원의 계획을 생각나게 해요. 하나님은 아들이신 예수님을 이 땅에 보내셔서 하나님의 백성을 죄에서 구원하셨어요.

복음 초청

성경과 21쪽 복음 초청 가이드를 이용해서 아이들에게 그리스도인이 되는 법을 설명해 준다. 따로 상담해 줄 사람을 정해 주고 궁금한 점이 있으면 물어보도록 격려한다.

이 시간 예수님을 마음에 모시고 싶은 친구는 함께 기도해요.

기도

하나님, 하나님은 구원자이십니다. 하나님은 모세를 통해 이스라엘 민족을 이집트의 노예 생활에서 구하셨습니다. 또한 예수님을 통해 우리를, 하나님의 백성을 죄의 노예에서 구원해 주셨습니다. 할렐루야! 하나님을 찬양합니다! 하나님을 사랑합니다. 예수님의 이름으로 기도합니다. 아멘.

적용

TIP 설교 도입이나 적용으로 활용하거나 영상을 본 뒤 소그룹에서 풍성한 대화를 이어 갈 수 있습니다.

DVD 적용 예화 영상(지도자용 팩)을 보여 준다.

새뮤얼은 에밀리아노가 의자를 만든 사람이라는 것을 알지 못했어요. 새뮤얼은 에밀리아노가 사용한 도구에만 관심이 있었지요. 무엇이 더 중요한가요? 에밀리아노인가요, 아니면 그가 사용한 도구인가요?

아이들과 함께 하나님이 우리를 사용하실 수 있는 방법에 대해 이야기를 나눈다.

하나님이 우리를 통해 놀라운 일을 하신다면 찬양을 받아야 할 분은 누구이실까요?

가스펠 **소그룹**

(10~20분)

나침반

암송 구절 돌림 말하기

"모세가 백성에게 이르되 너희는 두려워하지 말고 가만히 서서 여호와께서 오늘 너희를 위하여 행하시는 구원을 보라 너희가 오늘 본 애굽 사람을 영원히 다시 보지 아니하리라"(출 14:13).

준비물 **1단원 암송(107쪽)**

① 1단원 암송을 아이들에게 보여 준다. 암송 구절을 큰 소리로 읽게 한 후 두 팀으로 나눈다.

② A팀이 암송 구절의 몇 단어를 말하면, B팀이 따라 말하게 한다.

③ 아이들이 암송 구절 전체를 말할 때까지 반복한다.

④ 아이들의 숫자가 많다면 세 팀으로 나누어 진행한다.

⑤ 팀의 역할을 서로 바꾸어 가면서 반복한다. 팀 별로 목소리 크기를 다르게 하거나 암송 속도를 빠르거나 느리게 해도 좋다.

예) A팀 : 암송 구절을 크게 읽는다. / B팀 : 보통의 목소리로 따라 한다. / C팀 : 속삭이며 말한다.

— 우리는 앞으로 몇 주 동안 이 말씀을 외울 거예요. 성경 말씀을 외울 때는 그 말씀이 사실이라는 것을 기억해야 해요.

보물 지도

성경 이야기 그림 익히기

DVD **준비물** **성경, 성경 이야기 그림 카드(111쪽 또는 지도자용 팩)**

— 출애굽기는 성경에 두 번째로 나오는 책이에요. '출애굽기'(出埃及記)는 한자어로, '출'(出)은 '나가다', '애굽'(埃及)은 '이집트', '기'(記)는 '기록'이라는 뜻이에요. 그러므로 '이집트를 나간 기록'이라는 뜻이 되는 거예요. 영어로는 '탈출'이라는 뜻을 가진 '엑소더스'(Exodus)라고 쓰는데 이 말은 그리스어에서 유래되었으며, '나가다', '떠나다'라는 뜻을 담고 있어요.

출애굽기는 하나님이 어떻게 모세를 구하셨고, 모세를 통해 하나님의 백성을 어떻게 노예 생활에서 구하셨는지를 말해 주고 있어요. 출애굽기 3장을 보면 하나님이 모세를 부르신 내용이 나와 있어요.

① 아이들을 둥글게 앉힌 뒤 성경에서 출애굽기를 펴게 한다.

② 성경 이야기 그림 카드를 한 장씩 보여 준다.

③ 아이들에게 출애굽기 1~4장의 내용을 살펴보며 보여 준 그림 카드에 해당하는 성경 구절을 찾아 어떤 장면인지 설명하게 한다.

④ 답을 아는 아이는 손을 들어 답하게 한다.

⑤ 아이들에게 각 그림에 해당하는 본문을 알려 주고 이야기를 자기 말로 설명하게 해도 좋다.

예) 1. 이스라엘 사람들은 번성했어요(출 1:7).

2. 파라오는 이스라엘 사람들을 노예로 만들었어요(출 1:8~14).

3. 모세의 어머니는 아기 모세를 갈대 상자에 담아 나일 강가에 두었어요(출 2:2~3).

4. 파라오의 딸은 아기 모세를 발견했고, 모세의 어머니가 아기를 돌보도록 했어요(출 2:5~10).

5. 모세는 어른이 되자 이집트를 떠나야만 했어요(출 2:11~15).

6. 하나님은 떨기나무 불꽃 가운데서 모세를 부르시고 하나님의 백성을 구하도록 하셨어요(출 3:1~10).

7. 하나님은 모세에게 세 가지 기적을 보여 주셨어요(출 4:1~9).

8. 하나님은 아론을 보내 모세를 돕게 하셨어요(출 4:10~16).

— 잘했어요, 여러분! 모두 오늘의 성경 이야기를 잘 이해했네요. 오늘의 성경 이야기의 주제를 아는 친구 있나요? 힌트를 줄게요. 하나님은 왜 모세를 구하셨을까요? 이제 답해 보세요. **하나님은 하나님의 백성을 노예 생활에서 건져 내시기 위해 모세를 구하셨어요.**

탐험하기

나일 강 미로 찾기

준비물 학생용 교재 4쪽, 색연필

미로를 통과해 갈대 사이에 있는 아기 모세를 안전하게 건져 내게 한다.

— 모세는 파라오의 계획대로 라면 태어나자 마자 죽임을 당했어야 했어요. 하지만 모세의 어머니는 모세를 갈대 상자에 누이고 나일 강가에 두었어요. 그리고 파라오의 딸이 아기를 발견하고 아들로 키웠지요. 모세가 운이 좋아서 파라오의 딸의 아들로 자라게 된 걸까요? 아니에요. 다 하나님의 계획대로 였어요. 하나님은 하나님의 백성을 노예 생활에서 건져 내시기 위해 모세를 구하셨어요. 우리는 앞으로 그 하나님의 위대한 계획을 더 자세히 살펴 볼 거예요.

구출하시는 하나님

준비물 학생용 교재 5쪽, 47쪽 돌림판과 말, 할핀, 종이 클립

① 할핀을 돌림판 가운데에 꽂아 약간 헐겁게 꺾어 둔다.

② 꺾어 둔 할핀에 종이 클립을 키워 화살표로 사용한다.

③ 47쪽 가스펠 프로젝트 말을 오려 사용한다.

④ 가위바위보로 돌림판을 돌려 '다시 오실 그리스도'에 도착하는 게임을 하며 아이들과 연대표를 살펴보고, 오늘 함께 나누는 성경 이야기의 위치를 확인한다. 하나님의 구출 계획이 창세전부터 시작되어 이스라엘 백성에게 전해지고 예수님을 통해 우리에게까지 이어지는 것을 강조한다.

— 오늘 우리는 **하나님이 하나님의 백성을 노예 생활에서 건져 내시기 위해 모세를 구하신 일**에 대해 배웠어요. 하나님의 구출 계획은 모세로부터 시작되는 것이 아니에요. 창세전부터 시작되었지요. 그리고 그 계획은 모세와 이스라엘 백성을 지나 우리에게까지 이어져요. 예수님이 하나님의 백성인 우리를 죄에서 구원하셨고, 다시 오셔서 우리를 영원히 죄의 노예 생활에서 구원하실 거예요.

누구일까요? *

준비물 종이, 연필

① 아이들에게 각각 종이를 6장씩 나누어 주고, 각 종이에 다음 어절을 하나씩 쓰게 한다.

예) 하나님이 / 모세에게 / 이르시되 / 나는 / 스스로 / 있는 자이니라

② 모든 종이를 구겨서 공으로 만든 뒤, 예배실 여기저기 아무데나 던져 놓도록 한다.

③ 인도자가 신호를 보내면 아이들은 종이공 6개씩을 주워 내용을 확인한다. 다시 구기지 않고 펼쳐서 갖고 있는다.

④ 인도자가 "시작!"을 외치면 아이들은 돌아다니면서 가위바위보를

가스펠 **소그룹**

(10~20분)

한다. 이기면 상대방이 가지고 있는 종이 한 장을 받고, 지면 종이 한 장을 건네준다. 이때 이긴 사람은 원하는 종이를 고를 수 있다.

⑤ 전체 문장을 완성하면 게임이 끝난다.

— 이름은 우리가 서로를 알아보도록 도와주어요. 이름은 특별한 의미와 역사를 갖고 있지요. 여러분 중에 자기 이름이 무슨 뜻인지 아는 친구 있나요? 오늘의 성경 이야기에서 하나님이 자신을 누구로 소개하셨는지 기억하는 친구 있나요? "나는 스스로 있는 자이니라"(출 3:14). 맞아요! 하나님은 언제나 계셨고, 또 계실 거예요. 하나님은 결코 변함이 없으시답니다. 하나님은 모세에게 자신이 하나님임을 알려 주셔서 모세가 하나님을 신뢰하도록 하셨어요.

보물 상자

나만의 기록장

준비물 **학생용 교재 6쪽, 연필**

① 좋은 성적을 받았거나 축구 경기 중에 골을 넣는 등 자신이 멋진 일을 해 냈던 순간을 떠올리며 자신이 한 일에 대해 하나님께 영광을 돌리는 기도문을 한두 줄 쓰게 한다.

② 하나님이 미리암을 사용하셔서 모세를 구하시고, 모세를 사용하셔서 하나님의 백성을 구하신 것처럼, 하나님은 우리도 하나님의 계획의 일부분으로 사용하실 수 있다고 알려 준다.

— 모세는 오늘 성경 이야기의 주인공 같지만, 사실 모세는 가장 큰 영웅은 아니었어요. 모세는 몇 번의 큰 실수를 저질렀던 평범한 사람에 불과했어요. 하나님은 진리이시며 모세보다 더 훌륭한 영웅이세요. 하나님은 아들이신 예수님을 보내셔서 우리를 죄에서 구원하셨어요. 하나님은 하나님의 백성을 통해 구원 계획을 이루신답니다. 오늘의 성경 이야기에서 하나님이 모세를 구하는 데 사용하신 사람을 기억할 수 있나요? (미리암) 맞아요, 미리암은 하나님의 백성을 구하시기 위한 하나님의 계획의 일부분이었어요.

메시지 카드 만들기

준비물 **학생용 교재 51쪽 메시지 카드, 카드 고리, 펀치, 가위**

① 카드를 오리고 펀치로 구멍을 뚫어 고리로 연결하게 한다.

② 가방이나 지갑에 고리를 끼워 항상 휴대하면서 오늘 배운 성경 이야기를 수시로 기억하게 하고, 가족과도 함께 나눌 수 있도록 격려한다.

기도

하나님, 모세를 구하시고 부르셨듯이 우리를 구원하고 불러 주셔서 감사합니다. 예수님이 우리의 구주이신 것을 늘 감사하며 예수님과 동행할 수 있게 도와주세요. 예수님의 이름으로 기도합니다. 아멘.

'나를 위한 하나님의 멋진 계획'

'복음'이라는 말을 들어 본 적 있니?
복음이란 좋은 소식이라는 뜻이야.
하나님이 우리(너)를 위해 보내 주신
놀라운 선물이지.

하나님은 세상을 만드셨단다

하나님은 온 세상을 만드셨어.
하늘, 땅, 나무, 새…. 그런데 더 놀라운 것은 사람을 만드셨다는 거야. 바로 우리(너)를 하나님이 만드셨어.
그리고 우리(너)를 사랑하신다고 성경에서 말하고 있어(요 3:16). 그래서 하나님은 우리와 항상 함께 살기를 원하시지(창 1:1; 계 4 :11; 골 1:16~17).

예화 네가 정성을 다해 만든 작품이 소중하듯이 하나님이 너를 만드셨기 때문에 네가 매우 소중한 거야.

사람들은 죄를 짓고 하나님을 떠났어

모두 죄를 지었다고 성경은 말하고 있어(롬 3:23).
죄는 하나님께 불순종해 하나님이 기뻐하시지 않는 말이나 행동을 하는 거야(욕심, 거짓말, 싸움 등).
하나님은 거룩하신 분이기 때문에 죄를 가진 우리는 하나님과 함께 살 수 없게 되었단다.
사람들은 죄로 인해 하나님과 떨어져 결국 죽을 수밖에 없는 벌을 받게 되었어(롬 6:23).

하나님은 구원 계획을 갖고 계신단다

하나님은 우리(너)를 너무 사랑하셔서 우리(너)와 함께 살기를 원하셔. 그래서 대신 벌을 받기로 계획하셨어.
죄가 없으신 하나님의 아들 예수님을 이 땅에 보내셔서 우리가 받아야 할 죄의 벌을 받지 않도록 구원해 주신 거야.
죄인인 우리는 아무리 노력해도 해결할 수 없거든(요 3:16; 엡 2:8~9).

예화 손이 더러우면 어떻게 해야 깨끗해질까? 물로 씻어야겠지? 그런데 거짓말을 했을 때 물로 씻는다고 깨끗해질까?

예수님이 우리에게 생명을 주셨어

예수님은 완전하신 하나님의 아들이시지만 이 세상 사람의 몸으로 태어나셨어.
아무런 잘못이 없으시지만 우리의 죄를 용서해 주시기 위해 십자가에서 죽으셨어. 예수님은 우리의 죄를 위해 죽으시고(히 9:22) 3일 만에 다시 살아나셨어.
우리를 사랑하시는 하나님이 우리가 하나님과 함께 영원히 살 수 있는 길을 만드신 것이지. 이것이 우리를 위해 계획해 놓으신 최고의 선물이야(롬 5:8; 고후 5:21; 벧전 3:18)!

예수님! 우리의 마음에 오세요!

성경은 영접하는 자 곧 그 이름을 믿는 자는 하나님의 자녀가 된다고 말하고 있어(요 1:12).
'영접'은 손님이 문밖에서 두드리면 문을 열고 안으로 모시듯이 예수님을 "제 마음에 들어오세요"하고 맞이하는 거야.
'믿는다'라는 것은 예수님이 나의 죄를 위해 십자가에 죽으시고 다시 살아나셨음을 진심으로 믿는다는 뜻이야.

너는 이 예수님을 마음에 모셔 들이기를 원하니? **네.**
예수님은 어떤 분이시지? 우리의 죄를 위해 십자가에 죽으시고 다시 살아나신 분이셔. 그것을 진심으로 믿을 수 있겠니? **네.**
그럼 선생님을 따라서 기도할 수 있겠니? **네.**

영접 기도

사랑하는 예수님, 저는 죄를 지었어요.
저의 죄 때문에 예수님이 십자가에 죽으시고 다시 살아나셨음을 믿어요. 지금 제 마음에 들어오셔서 저의 주님이 되어 주세요.
예수님의 이름으로 기도합니다. 아멘.

구원의 확신

너는 누구의 자녀가 되었지? **하나님이요.**
"영접하는 ○○, 곧 그 이름을 믿는 ○○에게는 하나님의 자녀가 되는 권세를 주셨으니"(요 1:12)
이제 ○○는 하나님의 자녀가 되었다고 하나님이 말씀에서 약속하셨어. 하나님의 자녀가 되었으니 다시는 싸우거나 욕심 부리는 죄를 짓지 않을 수 있을까? **아니요.**
그러면 예수님이 너의 마음에서 떠나실까?
"내가 결코 너를 떠나지도 않고 버리지도 않겠다"(히브리서 13장 5절 말씀을 읽게 한다). 그래, 너의 마음속에 오신 예수님은 너를 떠나지도 버리지도 않으셔. 항상 너와 함께 계시면서 네가 옳은 일을 할 수 있도록 힘과 용기를 주신단다.

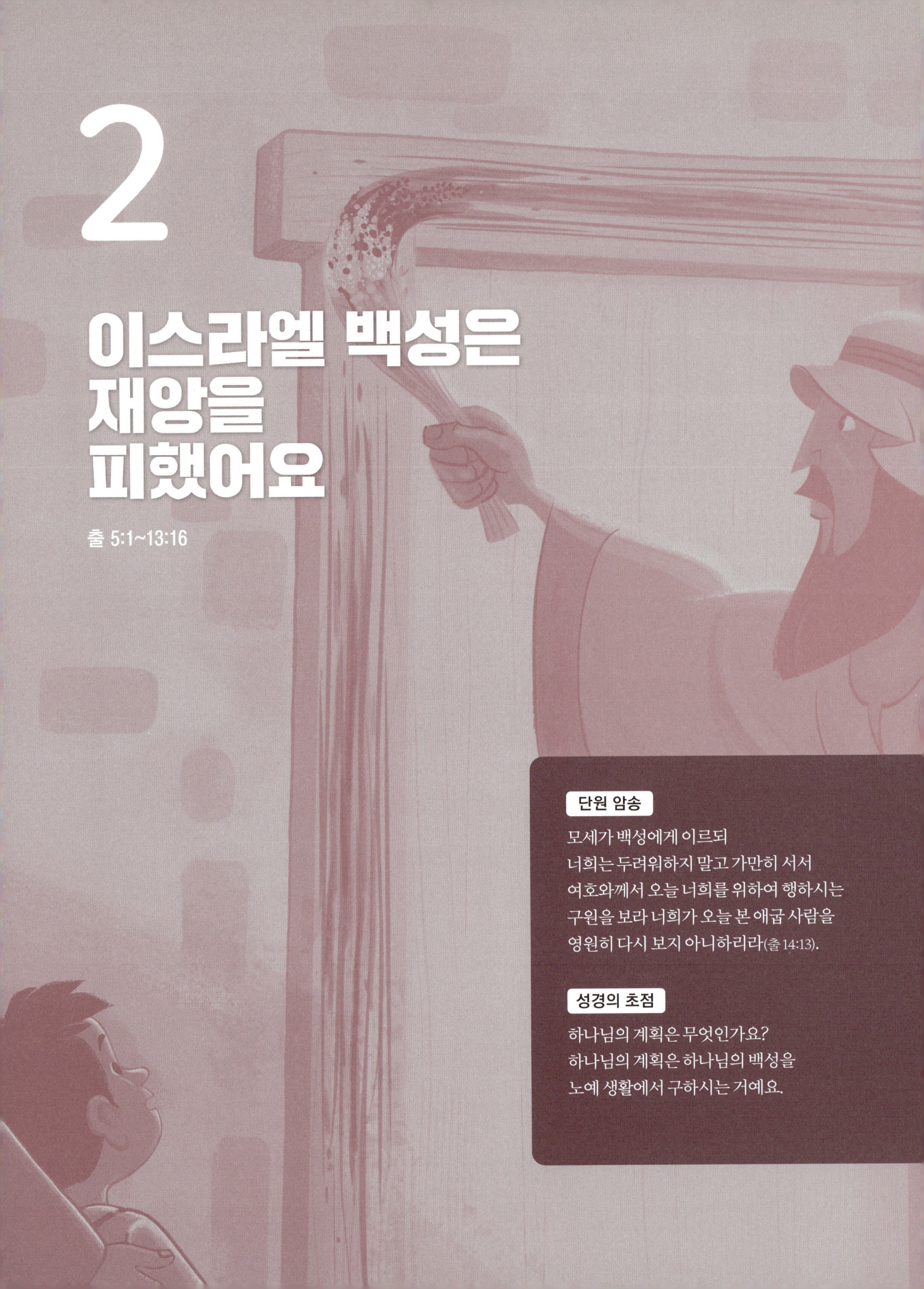

2

이스라엘 백성은 재앙을 피했어요

출 5:1~13:16

단원 암송

모세가 백성에게 이르되
너희는 두려워하지 말고 가만히 서서
여호와께서 오늘 너희를 위하여 행하시는
구원을 보라 너희가 오늘 본 애굽 사람을
영원히 다시 보지 아니하리라(출 14:13).

성경의 초점

하나님의 계획은 무엇인가요?
하나님의 계획은 하나님의 백성을
노예 생활에서 구하시는 거예요.

본문 속으로

하나님은 이집트에 있는 이스라엘 백성을 노예 생활에서 구할 계획을 세우셨습니다. 하나님은 그 구원 계획을 위해 모세를 선택해 부르셨고, 모세의 형 아론으로 하여금 그를 돕게 하셨습니다. 모세와 아론은 이스라엘 백성을 이집트에서 인도해 내는 데 있어 파라오라는 거대한 장애물을 맞닥뜨리게 되었습니다. 파라오는 하나님의 권위를 인정하지 않았습니다. "여호와가 누구이기에 내가 그의 목소리를 듣고 이스라엘을 보내겠느냐"(출 5:2). 파라오는 하나님에 대해 마음을 완악하게 했지만 이 모든 것은 그와 온 이집트에 하나님이 누구이신지를 보이시려는 하나님의 계획 가운데 있었습니다.

먼저, 하나님은 여러 종류의 재앙을 보내셔서 이집트를 만신창이로 만드셨습니다. 재앙은 이집트 사람들에게 하나님이 누구이신지를 보여 주고 그들을 가르치시기 위한 심판이었습니다. 출애굽기 8장 19절, 9장 20, 27절, 그리고 10장 7절을 읽어 보십시오.

열 번째 재앙은 이집트 사람들에게 가장 큰 영향을 미쳤습니다. 하나님은 모세에게 밤중에 이집트에 있는 모든 장자가 죽을 것이라고 말씀하셨습니다. 누구도 피할 수 없었습니다. 가축들도 처음 난 것은 모두 죽게 될 것이었습니다. 그러나 이스라엘 백성에게는 특별한 지시를 내리셨습니다. 이스라엘 백성은 어린양을 잡아 그 피를 문 인방과 좌우 문설주에 발라야 했습니다. 어린양의 피는 이스라엘 백성과 이집트 사람을 구별하는 표적이 되었습니다. 하나님은 "내가 피를 볼 때에 너희를 넘어가리니"(출 12:13)라고 말씀하셨습니다.

이스라엘 백성은 이집트 사람들과 마찬가지로 죄인이었고, 죽어 마땅한 사람들이었습니다. 그러나 하나님은 은혜로 그들에게 길을 열어 주셨습니다. 어린양의 피를 문 인방과 좌우 문설주에 바름으로써 이스라엘 백성은 그들이 마땅히 받아야 할 심판을 피할 수 있었습니다. 어린양이 대신 죽임을 당했기 때문입니다.

그리스도인으로서 우리는 흠 없고 점 없는 어린양 같은 그리스도의 보배로운 피로 구원받았습니다(벧전 1:19). 예수님의 죽음은 궁극적인 희생이었으며, 이로 인해 보혈 아래 있는 자들은 마지막 심판을 피해 갈 수 있게 되었습니다. 하나님은 유월절을 통해 죄인이 하나님으로 인해 온전하게 되는 은혜의 섭리를 보이셨습니다. 복음의 핵심은 유월절 이야기에 나타납니다. 예수님은 결코 죄가 없으셨지만 우리의 죄를 위해 십자가에 달리셨습니다. 우리는 죽어 마땅하지만 예수님이 우리 대신 죽임을 당하셨습니다.

주 제

하나님은 하나님만 유일한 진짜 신이시라는 것을 이집트 사람들에게 보여 주셨어요.

가스펠 링크

이스라엘 백성이 어린양의 피로 장자의 죽음을 피했던 것처럼 예수님이 십자가에서 흘리신 보배로운 피로 죄인들이 죽음의 벌에서 구원받게 되었어요.

●● 티칭 포인트

아이들과 함께 유월절에 대해 이야기를 나누어 보십시오. 특별히 아이들이 진정 흠 없는 어린양이신 예수님에 대해 생각해 보도록 도와주십시오. "보라 세상 죄를 지고 가는 하나님의 어린양이로다"(요 1:29).

이스라엘 백성은 재앙을 피했어요 출 5:1~13:16

이스라엘 백성은 괴로워서 하나님께 부르짖었어요. 하나님은 모세를 통해 그들을 노예 생활에서 구할 계획을 세우셨지요. 모세와 아론은 하나님의 명령을 따라 파라오에게 갔어요. "이스라엘의 하나님 여호와께서 '내 백성을 보내라'라고 하셨습니다!" 파라오는 "나는 여호와를 알지 못하니 이스라엘을 보내지 않겠다"라고 대답했어요. 그러자 하나님은 이집트에 여러 재앙을 내리셨어요.

첫 번째 재앙으로 나일 강의 물이 피로 변했어요. 두 번째로, 하나님은 개구리를 보내셨어요. 파라오는 "개구리를 떠나게 하면 백성을 보내겠다"라고 말했지만 하나님이 개구리 떼를 모두 쫓아 주시자 마음이 바뀌었어요. 하나님은 세 번째로, 이를 보내시고, 네 번째로, 파리 떼를 보내셨어요. 파라오는 이스라엘 백성을 보내겠다고 하더니 또 마음을 바꾸었지요. 다섯 번째로, 하나님은 이집트의 모든 가축을 죽이셨어요. 그래도 파라오는 이스라엘 백성을 보내지 않았어요.

여섯 번째로, 하나님은 이집트에 있는 모든 사람에게 악성 종기가 생기게 하셨어요. 그러나 파라오의 마음은 완강했어요. 일곱 번째로, 하나님은 우박을 내리셨어요. 파라오는 우박이 멈추자 또 말을 바꾸었어요. 여덟 번째로, 하나님은 메뚜기 떼를 보내셔서 식물을 다 먹어 버리게 하셨어요. 파라오는 뉘우치는 듯하더니 메뚜기 떼가 떠나자 이스라엘 백성을 보내지 않았답니다. 아홉 번째로, 하나님은 이집트 땅 위에 3일 동안 캄캄한 흑암이 있게 하셨어요. 그러나 파라오는 여전히 이스라엘 백성을 보내지 않았어요.

하나님이 모세에게 말씀하셨어요. "내가 파라오와 이집트 위에 재앙을 한 가지 더 내린 후에야 그가 너희를 여기서 내보내 줄 것이다." 모세는 파라오에게 경고했어요. "이집트 땅에 있는 모든 처음 난 것이 죽을 것입니다. 그러나 이스라엘의 자손은 안전할 것입니다." 하지만 파라오는 모세의 말을 무시했어요.

하나님은 모든 이스라엘 백성에게 어린양을 잡아 그 피를 문틀 양 옆과 위쪽에 바르라고 하셨어요. 하나님이 그 피를 보시고 그들을 '넘어가셔서' 재앙이 그들에게 임하지 않게 되는 표적이 되었지요. 밤중에 하나님은 이집트의 모든 처음 난 것을 치셨어요. 그 밤에 온 이집트가 통곡했어요. 죽임을 당하지 않은 집이 하나도 없었기 때문이에요. 파라오가 말했어요. "가라!" 이스라엘 백성은 속히 이집트를 떠났답니다.

이스라엘 백성은 홍해 근처에 도착해 장막을 쳤어요. 그런데 마음이 바뀐 파라오가 그들을 뒤쫓아왔어요. 이윽고 파라오와 그의 군대가 홍해 근처에 다다랐어요. 이스라엘 백성은 두려움에 떨었지요. 그때 모세가 말했어요. "두려워 마십시오! 여호와께서 여러분을 여기로 이끄셨고, 우리를 위해 싸우실 것입니다."

하나님께는 계획이 있었어요. 하나님은 이집트 사람들에게 하나님만 유일한 진짜 신이시라는 것을 보이기 원하셨답니다.

●● 가스펠 링크

유월절에 이스라엘 백성은 어린양의 피로 장자가 죽는 심판을 피했어요. 이처럼 예수님이 십자가에서 흘리신 보배로운 피로 죄인들이 죽음의 벌에서 구원받게 되었어요. 예수님은 하나님의 어린양으로서 세상의 죄를 모두 가져가셨어요. 예수님을 믿는 사람들은 죄의 형벌에서 벗어나 영원한 생명을 얻게 된답니다.

가스펠 준비
(10~20분)

환영

도착하는 아이들을 반갑게 맞이하고 헌금, 출석, QT 등을 확인하며 격려한다. 새 친구가 있다면 소개한다. 편안한 분위기에서 안부를 물으며 오늘의 말씀과 관련된 화제로 이야기를 나눈다. 아이들에게 특별한 여행을 앞두고 날짜가 되기까지 기다리기 힘들었던 경험이 있는지 묻는다.

예) "어디를 가려고 했어요?", "기다리는 것이 왜 그렇게 힘들었을까요?" 등.

마음 열기

신발 찾기 *

준비물 신발, 깔개

① 아이들이 신발을 예배실 한가운데 놓아 두라고 한다.

② 아이들에게 손을 잡고 둥글게 서서 신발 무더기를 둘러싸도록 한다.

③ 손을 놓지 않은 채로 자신의 신발을 신어야 한다는 게임의 규칙을 설명해 준다(맞는 발에 올바로 신어야 한다).

— 오늘의 성경 이야기에서 우리는 하나님이 이스라엘 백성에게 떠날 준비를 하라고 하신 내용에 대해 들을 거예요. 이스라엘 백성은 신발을 신고 지팡이를 손에 들고 재빨리 이집트를 떠날 준비를 했어요. 무슨 일이 있었는지 오늘의 성경 이야기를 들어 보아요.

보물을 뺏어라! *

준비물 나무 막대 5개, 사인펜, 불투명한 컵, 손에 감추어질 크기의 물건(노란색, 빨간색, 검은색 각각 1개씩, 인원수 대로)

① 나무 막대 5개의 끝부분에 사인펜을 이용해 노란색(2개), 빨간색(2개), 검은색(1개) 점을 각각 그린 뒤 점이 보이지 않게 불투명한 컵에 담아 놓는다.

② 아이들에게 색깔이 다른 세 가지 물건을 한 세트씩 나누어 준다.

③ 아이들에게 한 가지 물건을 골라 손에 감추라고 한다.

④ 인도자가 컵 안에 담긴 나무 막대 중 하나를 고른다.

⑤ 아이들이 고른 물건이 나무 막대에 그려진 점과 같은 색깔이라면, 아이들은 해당 물건을 인도자에게 빼앗긴다.

⑥ 여러 차례 돌아가면서 게임을 진행한다.

— 물건을 빼앗겼을 때 기분이 어떠했나요? 오늘의 성경 이야기에서 이집트 사람들은 자기들의 죄 때문에 하나님께 처음 난 것을 빼앗겼어요. 하나님께서 어떻게 빼앗으셨는지 이야기를 들어 보아요.

가스펠 **설교**
(15~30분)

들어가기

DVD 준비물 위대한 경주 힌트 카드(지도자용 팩), 이집트 지도(지도자용 팩), 파란색 천이나 종이

운동복을 입고 등장한다. 위대한 경주 힌트 카드와 성경을 들고 있다. 이집트 지도가 예배실 벽에 걸려 있고 파란색 천이나 종이가 바닥에 넓게 펼쳐져 있다.

안녕하세요, 여러분! 만나서 반갑습니다. 다시 만나게 되어 기뻐요. 자, 오래 기다리고 고대하던 위대한 경주가 돌아왔습니다! 주위를 둘러보세요. 여기가 어디지요? (이집트) 맞아요! 우리는 이집트 나일 강가에 있어요. 파란색 천이나 종이를 가리킨다. 와! 정말 아름다워요! 여기에 위대한 경주의 다음 카드가 있어요. 힌트를 읽는다.

아주 오래전 이집트에서 나일 강의 푸른색이 변했네.
녹색도 아니고 핑크색도 아니었네. 그 색깔을 아는가?

음, 이건 수수께끼네요! 다행히 여기에 저를 도와줄 성경이 있어요. 어디 보자, 출애굽기 7장, 첫 번째 재앙, 나일 강이 피로 변했다. 피? 으악! 하지만 피는 여기서만 나오지 않아요. 무슨 일이 있었는지 오늘의 성경 이야기를 들어 볼까요?

연대표

DVD '어린이를 위한 가스펠 프로젝트_하나님의 구원 계획' 영상(지도자용 팩)을 보여 주고 오늘의 성경 이야기도 하나님의 거대한 구원 계획의 한 부분에 속하는 이야기임을 상기시킨다.

자, 우리는 지금 어디에 있나요? 연대표에서 "이스라엘 백성은 재앙을 피했어요"를 가리킨다. 여기가 우리가 처음 성경 여행을 시작한 지점이에요. "하나님이 세상을 창조하셨어요"를 가리킨다. 기억하세요. 성경에는 짧은 이야기들이 많이 담겨 있지만 그 이야기들은 모두 하나의 큰 이야기를 이루고 있다는 것을요! 먼저 우리는 창조주 하나님에 대해 배웠어요. 그런데 죄가 세상에 들어왔어요. 노아의 이야기에서 우리는 하나님은 거룩하시고, 죄를 벌하신다는 사실을 배웠어요. 오늘의 성경 이야기에서 하나님은 이집트 사람들을 그들의 죄로 인해 심판하셨어요.

성경의 초점

1단원의 '성경의 초점'은 **"하나님의 계획은 무엇인가요? 하나님의 계획은 하나님의 백성을 노예 생활에서 구하시는 거예요"**랍니다. 우리는 하나님이 모세를 구할 계획을 세우시고 이루신 것에 대해 배웠어요! **하나님은** 모세를 구하셨고, 모세를 통해 **하나님의 백성을 노예 생활에서 구하셨어요.** 그런데 하나님은 어떻게 이 일을 행하셨을까요? 오늘의 성경 이야기를 잘 들어 보세요.

성경 이야기

DVD 출애굽기 5~13장을 펴고, 설교 영상(지도자용 팩)을 보여 주거나 이야기 성경을 들려준다.

유월절은 이스라엘 백성이 기억할 특별한 절기가 되었어요. 하나님은 이스라엘 백성에게 매년 유월절을 기념해 하나님이 그들을 이집트의 노예 생활에서 구하셨다는 것을 기억하게 하셨어요. 하나님은 이스라엘 백성을 구하시기 위해 희

생 제물을 필요로 하셨어요. 하나님은 이스라엘 백성이 마지막 재앙으로부터 보호받을 수 있도록 특별한 지시를 내리셨어요. 파라오와 이집트 사람들은 죄로 인해 장자를 잃고 말았어요. 사람이건 가축이건 처음 난 것은 모두 죽고 말았지요. 파라오의 아들마저 죽었답니다.

유월절이 중요한 이유는 무엇인가요? 하나님은 유월절을 통해 이스라엘 백성을 구하셨고, 이와 같이 예수님의 십자가 희생을 통해 죄인들을 구원하실 것을 보여 주셨어요. 어린양이신 예수님의 희생이 없이는 우리는 결코 구원받을 수 없어요. 하지만 하나님은 은혜로 하나님의 어린양이신 예수님을 희생 제물로 받으셨어요. 예수님의 죽음으로 우리의 죄에 대한 대가를 치르셨어요.

오늘의 성경 이야기에서 하나님은 자신이 여호와이시고 이스라엘의 하나님이심을 보여 주셨어요. **하나님의 계획은 무엇인가요? 하나님의 계획은 하나님의 백성을 노예 생활에서 구하시는 거예요.** 우리는 **하나님이** 모세를 구원하셨고, 모세를 통해 **하나님의 백성을 노예 생활에서 구하신 것**을 배웠어요.

복/습/질/문

1 하나님은 왜 재앙을 보내셨나요?

파라오가 모세를 통해 하신 하나님의 말씀을 듣지 않아서 (출 7:4)

2 열 가지 재앙 중에 마지막 재앙은 무엇인가요?

처음 난 것의 죽음, 그러나 이스라엘 백성은 안전했다 (출 11:4~7)

3 첫 유월절에 무슨 일이 일어났나요?

하나님은 이스라엘 백성에게 어린양을 죽여서 그 피를 문틀 양 옆과 위쪽에 바르라고 하셨고, 그 표적을 보고 그 집을 '넘어가셨다.' 이스라엘 백성의 자손은 아무도 죽지 않았다 (출 12:1~30)

4 하나님은 이집트 사람들에게 무엇을 보여 주셨나요?

하나님은 하나님만 유일한 진짜 신이시라는 것을 이집트 사람들에게 보여 주셨어요.

하나님이 하시는 모든 일에는 목적이 있어요. 열 가지 재앙, 특히 유월절 사건을 통해 **하나님은 하나님만 유일한 진짜 신이시라는 것을 이집트 사람들에게 보여 주셨어요.** 그리고 이스라엘 백성에게는 구원이 하나님에게서 온다는 것을 알려 주셨어요. 이 이야기는 하나님이 죄를 벌하시는 분이며, 하나님을 사랑하고 믿는 자들을 구원하시는 분이라는 사실을 보여 준답니다.

하나님의 계획은 무엇인가요? 하나님의 계획은 하나님의 백성을 노예 생활에서 구하시는 거예요. 하나님은 모세를 통해 이스라엘 백성을 이집트의 노예 생활에서 구하셨고, 우리를 죄의 노예에서 구원하시기 위해 하나님의 아들 예수님을 보내셨어요. 예수님은 하나님의 어린양으로서 세상의 죄를 모두 가져가셨어요. 성경은 예수님이 모세보다 더욱 존귀하시다고 말해요(히 3:3). 예수님을 믿는 사람들은 죄의 형벌에서 벗어나 영원한 생명을 얻게 된답니다.

복음 초청

성경과 21쪽 복음 초청 가이드를 이용해서 아이들에게 그리스도인이 되는 법을 설명해 준다. 따로 상담해 줄 사람을 정해 주고 궁금한 점이 있으면 물어보도록 격려한다.

이 시간 예수님을 마음에 모시고 싶은 친구는 함께 기도해요.

기도

하나님, 모세보다 위대하신 예수님을 우리에게 보내 주셔서 감사합니다! 예수님은 하나님의 어린양이시며 세상의 죄를 모두 가져가셨습니다. 우리가 예수님을 믿으면 죄의 형벌에서 벗어나 영원한 생명을 갖게 될 것을 믿습니다. 사랑합니다. 예수님의 이름으로 기도합니다. 아멘.

적용

DVD 적용 예화 영상(지도자용 팩)을 보여 준다.

컵케이크들은 코코아가 자기들을 도와 구해 줄 수 있다고 믿지 않았어요. 여러분은 하나님이 사람들을 죄에서 구원하실 수 있다고 믿나요? 왜 믿는지, 또는 믿지 않는지 한번 나누어 볼까요? 우리는 하나님이 누구이신지를 신뢰하고 믿어서 구원받았어요. 하나님이 과거에 하나님의 백성을 어떻게 구원하셨는지에 대한 이야기를 들으면 하나님에 대한 믿음을 갖는 데 도움이 된답니다.

나침반

모세? 예수님?

준비물 1단원 암송(107쪽), 종이 접시

① 아이들을 둥글게 앉힌다.

② 아이들에게 단원 암송을 외우면서 옆 사람에게 종이 접시를 돌리게 한다. 접시를 가진 사람만 암송 구절을 외울 수 있다는 규칙을 말해 준다.

③ 단어가 생각나지 않거나 시간을 너무 오래 지체하면 처음부터 다시 시작한다.

④ 시간 여유가 있다면 게임을 여러 번 반복한다.

— 이스라엘 백성은 매년 유월절을 지키면서 하나님이 어떻게 그들을 노예 생활에서 구하셨는지를 기억했어요. 오늘의 암송 구절은 하나님이 이스라엘 백성의 하나님이 되신다는 것을 의미해요.

보물 지도

무슨 일이 있었지?

준비물 성경

① 아이들에게 성경 구절을 나누어 찾게 한다.

예) 출애굽기 11:1~3, 출애굽기 11:4~6, 출애굽기 12:5, 21~23, 출애굽기 12:29~32, 출애굽기 12:35~36

② 아이들이 다 찾으면 오늘 배운 성경 이야기에 관한 질문을 한다.

1 유월절이 중요한 이유는 무엇인가요?

하나님은 유월절을 통해 이스라엘 백성을 구하시고, 이와 같이 예수님의 십자가 희생을 통해 죄인들을 구원하실 것을 보여 주셨어요.

2 하나님의 어린양은 누구를 말하나요?

예수님, 예수님은 하나님의 어린양으로서 세상 죄를 지셨어요.

— 예수님이 우리의 죄를 위해 한 번에 영원한 희생 제물이 되셨기 때문에 그리스도인들은 더 이상 유월절을 기념할 필요가 없어요. 대신 그리스도인이 된 우리는 예수님을 축하하고 기념하며 성만찬을 행해요. 하나님의 어린양 되신 예수님이 우리의 죄를 모두 가져가셨기 때문이에요.

탐험하기

재앙 스도쿠

준비물 학생용 교재 8쪽, 연필

① 빈칸을 흑암, 우박, 개구리, 메뚜기, 소, 파리 등 재앙을 상징하는 그림으로 채우게 한다.

② 가로 칸, 세로 칸, 굵은 선 네모의 여섯 칸에는 그림이 한 번씩만 들어가야 한다는 규칙을 말해 준다.

글자도 재앙도 뒤죽박죽

준비물 학생용 교재 9쪽, 연필

글자가 뒤죽박죽 섞인 퍼즐 상자 안에서 **보기**의 어절을 찾아 줄을 그어 보게 한다.

가	코	죄	육	약	구	원	받	게	운
홀	초	가	인	죄	차	절	후	은	감
크	리	되	되	들	서	타	피	로	의
십	교	신	이	까	어	신	되	배	음
인	자	님	크	요	요	가	서	보	죽
초	수	가	어	파	리	하	님	카	서
예	추	였	에	하	타	초	로	호	에
타	되	감	육	서	십	하	타	코	벌
파	차	님	로	교	어	교	죽	교	피
되	이	피	죄	감	에	홀	교	추	감

— 오늘의 성경 이야기에는 열 가지 재앙이 나왔어요. 그 중에 열 번째 재앙이 가장 심각했지요. 하나님은 이집트를

지나가시면서 이집트에서 처음 난 것들을 모두 죽이셨어요. 그러나 어린양의 피를 바른 이스라엘 백성은 안전했답니다.

유월절까지 숫자 세기 *

① 아이들을 둘씩 짝을 지은 후 1부터 10까지의 숫자를 번갈아 말하도록 한다. 10을 말한 아이가 탈락하는 게임이다.

② 아이들은 한 개 숫자 혹은 두 개의 연속된 숫자를 말할 수 있다. 아이들이 게임에서 이길 수 있는 효과적인 전략을 사용하도록 돕는다.

③ 승자들끼리 새로운 짝을 만들고 게임을 계속하되, 한 명이 남을 때까지 한다.

— 하나님은 이집트를 지나가시면서 이집트에서 처음 난 것들을 모두 죽이셨어요. 유월절에 하나님은 어린양의 피로 인해 이스라엘 백성이 심판을 피하게 하셨어요. 성경은 예수님이 모세보다 더욱 존귀하시다고 말해요(히 3:3). 모세는 하나님의 백성을 이집트의 노예 생활에서 구했고, 예수님은 하나님의 백성을 죄의 노예에서 구원하셨어요.

내 백성을 보내라! *

준비물 열 가지 재앙을 각각 적은 종이, 바구니

① 두 명을 뽑아 각각 파라오와 모세의 역할을 맡긴다. 나머지 아이들은 이스라엘 백성이 된다.

② 열 가지 재앙이 적힌 종이를 구겨서 공처럼 만들어 바구니에 담고 모세 앞에 놓아 둔다.

③ 모세가 파라오에게 "내 백성을 보내라!"라고 말하면 파라오는 "안 돼!"라고 말하며 게임을 시작한다.

④ 모세는 바구니에 담긴 종이공 중에 하나를 파라오에게 던지고, 파라오는 종이에 적힌 재앙을 보고 몸으로 표현해야 한다. 이때 파라오는 말을 할 수 없다.

⑤ 이스라엘 백성의 역할을 맡은 아이들에게 어떤 재앙인지 맞혀 보라고 한다. 맞힌 아이에게 파라오의 역할을 맡긴다. 게임을 반복한다.

— 모세는 파라오에게 "내 백성을 보내라!"라고 여러 번 말했어요. 그러나 파라오는 계속해서 "안 돼!" 하고 대답했어요. 우리는 하나님이 이집트에 열 가지 재앙을 보내시고 나서야 파라오가 이스라엘 백성을 보냈다는 것을 배웠어요. 재앙을 통해 **하나님은 하나님만 유일한 진짜 신이시라는 것을 이집트 사람들에게 보여 주셨어요.**

보물 상자

나만의 기록장

준비물 학생용 교재 10쪽, 연필

① 아이들에게 하나님은 죄를 벌하시지만 하나님을 사랑하는 사람들에게는 도움을 주신다는 것을 다시 한 번 말해 준다.

② 유월절에 하나님은 어린양의 피로 인해 이스라엘 백성이 심판을 피하게 하셨고, 사람들이 하나님의 아들이신 예수님을 통해 죄의 형벌에서 벗어나 영원한 생명을 얻게 하셨다는 사실을 기억하도록 도와준다.

③ 아이들에게 이집트에 열 가지 재앙이 일어나는 동안 이스라엘 백성이 어떤 기분이었을지, 또 이집트 사람들은 어떠했을지 상상해 보고 글로 표현해 보게 한다.

④ 아이들에게 하나님에 대해 알고 있는 것 몇 가지를 적어 보게 한다. 하나님이 유일한 진짜 신이시라는 사실을 어떻게 알 수 있는지에 대해 이야기를 나누어 본다.

— **하나님은 하나님만 유일한 진짜 신이시라는 것을 이집트 사람들에게 보여 주셨어요.** 하나님은 하나님의 백성을 큰 능력으로 구하셨어요. 하나님은 예수님의 죽음과 부활의 능력을 통해 우리를 죄에서 구원하셨어요.

메시지 카드

이번 주 메시지 카드로 부모님과 함께 오늘 배운 성경 이야기를 나누어 보라고 한다.

기도

모든 재앙으로부터 이스라엘 백성을 구원하신 하나님을 찬양합니다. 하나님만 유일한 진짜 신이심을 고백합니다. 유월절 어린양의 피보다 귀하신 예수님을 우리를 위해 보내 주셔서 죄로부터 우리를 구원하시고 심판을 피하게 해 주셔서 감사합니다. 사랑합니다. 예수님의 이름으로 기도합니다. 아멘.

3

홍해를 건넜어요

출 13:17~15:21

단원 암송

모세가 백성에게 이르되
너희는 두려워하지 말고 가만히 서서
여호와께서 오늘 너희를 위하여 행하시는
구원을 보라 너희가 오늘 본 애굽 사람을
영원히 다시 보지 아니하리라(출 14:13).

성경의 초점

하나님의 계획은 무엇인가요?
하나님의 계획은 하나님의 백성을
노예 생활에서 구하시는 거예요.

본문 속으로

이스라엘 백성이 홍해를 건넌 일은 하나님이 강력한 힘으로 그들을 구원하신 사건으로 여러 세대에 걸쳐 기억되었습니다. 하나님은 이집트에 쏟아진 열 가지 재앙을 통해 하나님의 능력을 명백히 보여 주셨고, 홍해 사건에서 더 강력한 힘을 보여 주셨습니다. 하나님은 이스라엘 백성을 광야 길로 인도하시는 대신 홍해로 방향을 바꾸심으로 이집트인들로 하여금 그들이 길을 잃었다고 생각하게 하셨습니다. 하나님은 일부러 파라오의 마음을 강퍅하게 하셔서 이스라엘을 뒤쫓게 하셨습니다. 왜 그러셨을까요? "내가 그와 그의 온 군대로 말미암아 영광을 얻어 애굽 사람들이 나를 여호와인 줄 알게 하리라"(출 14:4).

이스라엘 백성이 자신들을 추격해 오는 이집트 군대를 바라보면서 느꼈을 두려움을 상상해 보십시오. 그들은 모세에게 불평하며 두려움을 드러냈습니다(출 14:11). 모세는 그들을 진정시키기 위해 크게 외쳤습니다. "여호와께서 너희를 위하여 싸우시리니 너희는 가만히 있을지니라"(출 14:14).

하나님은 정말 이스라엘 백성을 위해 싸워 주셨습니다. 밤새 구름 기둥으로 이집트의 전차 부대와 이스라엘 사이를 막아 서셨고, 모세로 하여금 그의 손을 바다 위로 내밀게 하셨습니다. 하나님은 강력한 동풍으로 강물을 갈라놓으셨고, 이스라엘 백성은 믿음으로 마른 땅을 건너갔습니다(히 11:29)! 파라오와 이집트의 군대가 이스라엘을 쫓아왔을 때 물이 그들을 뒤덮었습니다. 그들 중 누구도 살아남지 못했습니다.

티칭 포인트

하나님은 자신을 사랑하는 사람들을 도우시는 분이라는 것을 아이들이 이해할 수 있도록 도와주십시오. 하나님은 홍해를 가르셔서 하나님의 선택받은 백성을 살릴 길을 마련하셨습니다. 마찬가지로, 하나님은 예수 그리스도를 통해 사람들이 죄의 벌에서 피할 수 있는 길을 마련해 주셨습니다. 하나님이 우리를 구원하신 것은 우리에게 구원받을 자격이 있어서가 아니라 그분이 은혜와 사랑의 하나님이시기 때문입니다. 하나님은 우리와 깊은 관계를 맺기 원하셔서 우리를 창조하셨습니다.

주 제

전능하신 하나님은 홍해를 갈라
이스라엘 백성이 마른 땅을 건너게
하셨어요.

가스펠 링크

하나님은 모세를 통해 이스라엘 백성을
이집트에서 구하신 것처럼
예수님을 통해 하나님의 백성을 영적으로
구원하실 거예요.

홍해를 건넜어요 출 13:17~15:21

열 가지 재앙, 특히 장자의 죽음이라는 무시무시한 열 번째 재앙을 겪은 이후에, 이집트의 파라오가 말했어요. "너희는 가서 여호와를 섬겨라!"

이스라엘 백성은 속히 이집트를 떠났어요. 하나님은 앞서 가시며 낮에는 구름기둥으로, 밤에는 불기둥으로 빛을 비추어 주셔서 그들이 밤낮으로 움직이는 데 어려움을 겪지 않게 하셨어요. 그런데 하나님은 이스라엘 백성을 가나안으로 가는 지름길로 인도하지 않으시고 광야를 돌아 홍해로 이끄셨어요. 하나님은 모세에게 홍해 근처에 장막을 치라고 말씀하셨어요.

한편 이집트의 파라오는 마음이 바뀌어서 이스라엘 백성을 괜히 내보내서 일손을 잃어버렸다고 후회했지요. 파라오는 군대를 이끌고 이스라엘 백성을 뒤쫓았어요. 하나님은 하나님만 유일한 진짜 신이시라는 것을 이집트 사람들에게 보여 주기 원하셨어요.

파라오와 그의 군대가 이스라엘 백성을 쫓아 홍해 근처에까지 이르렀어요. 이스라엘 백성은 그 모습을 보고 두려워 소리쳤어요. "우리는 다 죽을 거예요! 이집트를 떠나지 말았어야 했어요!" 그러나 모세는 이렇게 말했어요. "여러분, 두려워하지 마십시오. 굳게 서서 여호와께서 오늘 여러분을 위해 행하시는 구원을 보십시오. 여러분은 오늘 본 이집트 사람들을 영원히 다시 보지 않을 것입니다."

그때 하나님의 천사와 구름기둥이 뒤쪽으로 옮겨 가 이집트 군대와 이스라엘 백성 사이를 막아 섰어요. 이집트 사람들이 있는 쪽은 어둡게, 이스라엘 사람들이 있는 쪽은 환하게 밝혀서 이집트 군대가 이스라엘 진영에 접근하지 못하게 했어요.

하나님은 모세의 손을 바다 위로 내밀게 하셨어요. 그러자 홍해가 갈라졌어요. 이스라엘 백성 앞에 마른 땅이 드러났지요. 이스라엘 백성은 바다 가운데를 육지로 걸었고, 물은 그들의 양쪽에 벽이 되었어요.

이집트 군대도 홍해로 들어섰어요! 그런데 이스라엘 백성이 안전하게 홍해 건너편에 도달하자 모세는 다시 손을 바다 위로 내밀었고 물이 이집트 군대 위에 다시 흐르기 시작했어요. 그들은 아무도 살아남지 못했지요. 여호와께서 이집트 사람들의 손에서 이스라엘을 구하신 거예요.

이 일을 눈으로 직접 본 이스라엘 백성은 하나님을 두려워했어요. 그리고 하나님이 모세를 보내셔서 자신들을 이끌고 계시다는 것을 믿게 되었답니다. 모세와 이스라엘 백성은 여호와께 찬양했어요. "여호와는 나의 힘이시며, 나의 노래이시며, 나의 구원이십니다!"

●● 가스펠 링크

전능하신 하나님은 홍해를 갈라 이스라엘 백성이 마른 땅을 건너게 하셨어요. 이집트 사람들을 피할 수 있는 길을 내어 주신 것이지요. 마찬가지로, 하나님은 사람들이 죄의 벌에서 피할 길을 내어 주세요. 바로 하나님의 아들이신 예수 그리스도를 통해서랍니다. 예수님은 하나님께로 갈 수 있는 유일한 길이세요.

가스펠 **준비**

(10~20분)

환영

도착하는 아이들을 반갑게 맞이하고 헌금, 출석, QT 등을 확인하며 격려한다. 새 친구가 있다면 소개한다. 편안한 분위기에서 안부를 물으며 오늘의 말씀과 관련된 화제로 이야기를 나눈다. 아이들이 자신의 나이에는 할 수 없는 일들이 무엇이 있는지 나누어 보게 한다.

예) "부모님이 하시는 일들 중에 친구가 할 수 없는 일이 있나요?", "조금 더 크면 어떤 일을 꼭 해 보고 싶나요?" 등.

— 여러분 중에 이사해 본 친구 있나요? 새로운 집이나 새로운 도시로 이사했나요? 이사란 재미있기도 하지만 때로는 겁나기도 해요. 짐을 모두 싸고 가구를 옮기는 것은 큰 일이니까요.

오늘의 성경 이야기에서 이스라엘 백성도 이사를 했어요. 이스라엘 백성은 남자만 60만 명에 가족까지 더하면 그 수가 정말 많았답니다. 그들은 모두 함께 움직였지요. 이스라엘 백성은 하나님이 약속하신 땅으로 향했어요. 오늘 우리는 이스라엘 백성이 이집트를 떠나 약속의 땅으로 가는 길에 장애물을 만난 이야기를 살펴볼 거예요. 그들에게는 어떤 일이 일어났을까요?

마음 열기

그곳을 통과하라 *

준비물 의자 2개

① 의자 2개를 등을 맞대어 놓되 약 45cm 정도 떨어뜨려 문을 만든다.

② 아이들을 2~3팀으로 나눈 뒤 팀별로 한 줄로 서서 의자 사이의 '문'을 안전하게 통과하는 게임이라고 알려 준다. 이때 문을 통과하려면 암호를 알아야 한다. 인도자가 첫 번째 아이에게 귓속말로 암호를 알려 주면 다음 아이에게 속삭여서 전달하는 방식으로 암호를 모두 공유하게 한다.

③ 팀원들 모두가 성공적으로 암호를 공유하면 한 줄로 서서 문을 통과하게 한다. 인도자가 문지기 역할을 맡아 지나가는 아이들 한 명 한 명에게 귓속말로 암호를 전달받고 맞으면 통과시킨다.

④ 암호가 틀린 아이가 있을 경우 팀원 전체가 새로운 암호로 다시 시작하게 한다.

암호의 예) 유월절, 모든 것이 가능해요, 출애굽기, 자유, 이스라엘 백성 등.

— 오늘의 성경 이야기에서 이스라엘 백성은 약속의 땅으로 여행하던 중 큰 장애물을 만났어요. 그렇지만 그들은 하나님의 인도하심을 따라갈 때 하나님이 모든 것을 공급하신다는 사실을 알게 되었어요. 이제부터 자세히 알아볼까요?

'행진' 엽서 *

준비물 4x6 크기의 엽서 또는 두꺼운 종이(10x15cm), 사인펜, 엽서 샘플(선택)

① 아이들에게 하나님이 이집트에 재앙을 내리셨을 때 이스라엘 백성 가운데 아이들의 나이가 몇 살 정도 되었을지 질문한다.

② 아이들에게 엽서나 종이를 나누어 주고 이스라엘 백성이 이집트의 노예 생활에서 자유롭게 된 기쁜 소식을 전하는 엽서를 만들어 보라고 한다. 어려워하는 아이가 있다면 엽서 샘플을 보여 준다.

③ 성경 이야기를 글로 표현하거나 그려도 좋다.

— 이스라엘 백성은 오랫동안 이집트에서 노예 생활을 했어요. 친구들처럼 나이가 어린 아이들도 부모님을 거들어 노예 일을 해야만 했지요. 너무 끔찍하지요? 하나님은 하나님의 백성을 이집트의 노예 생활에서 구하셨어요. 이스라엘 백성에게 이보다 더 좋은 소식이 있을까요?

가스펠 **설교**

(15~30분)

들어가기

DVD **준비물** **위대한 경주 힌트 카드(지도자용 팩), 성경, 이집트 지도(지도자용 팩), 파란색 천이나 종이**

운동복을 입고 등장한다. 위대한 경주 힌트 카드와 성경을 들고 있다. 이집트 지도가 예배실 벽에 걸려 있고, 파란색 천이나 종이가 바닥에 넓게 펼쳐져 있다.

안녕하세요, 여러분! 다시 만나게 되어 기뻐요. 자, 오랫동안 기다리고 고대하던 위대한 경주가 돌아왔습니다! 주위를 둘러보세요. 여기가 어디지요? (이집트) 맞아요! 오늘은 위대한 경주를 빨리 시작해야겠어요. 2등이 제 뒤를 바짝 쫓아오고 있거든요! 이제 홍해를 향해 달려야겠어요. 어머나, 그런데 도착 지점이 홍해 건너편에 있네요? 대체 경주를 어떻게 해 나갈 수 있을까요? 위대한 경주 힌트 카드를 한 번 읽어볼까요? 힌트를 읽는다.

홍해 너머 저곳을 향해 간다네.
배가 없어도 건너갈 수 있다네.

흠, 아주 아리송한 힌트군요. 일단 홍해로 가면 무슨 뜻인지 알 수 있겠지요? 아스라엘 백성도 이집트에서 나와 홍해로 가고 있어요. 그들은 어떻게 홍해를 건넜는지 오늘의 성경 이야기를 통해 알아보아요.

연대표

자, 우리는 지금 어디에 있나요? 연대표에서 "모세를 부르셨어요"를 가리킨다. 여기가 우리가 《가스펠 프로젝트》 2권의 성경 여행을 시작한 지점이에요. 하나님은 모세를 부르셔서 하나님의 백성을 이집트에서 구해 내셨어요. 오늘 우리는 하나님이 어떻게 하나님의 백성을 이집트의 손에서 끝까지 구해 내시는지를 보게 될 거예요. 이제 아주 유명한 사건을 배우게 될 것이랍니다. 기대하세요!

성경의 초점

1단원의 '성경의 초점'은 **"하나님의 계획은 무엇인가요? 하나님의 계획은 하나님의 백성을 노예 생활에서 구하시는 거예요"**랍니다. 우리는 하나님이 모세를 구하셨고, 모세를 통해 하나님의 백성을 노예 생활에서 구하신 이야기를 배웠어요. 오늘의 성경 이야기는 하나님의 구원 계획을 계속해서 보여 준답니다. 자, 이제 성경 이야기를 잘 들어 보세요.

성경 이야기

DVD 출애굽기 13~15장을 펴고, 설교 영상(지도자용 팩)을 보여 주거나 이야기 성경을 들려준다.

하나님은 이스라엘 백성에게 놀라운 일들을 많이 행하셨어요. 하나님이 이스라엘 백성에게 행하신 일들에는 어떤 것들이 있을까요? 아이들의 대답을 기다린다. 맞아요, 하나님은 홍해를 가르셨고, 구름기둥과 불기둥으로 이스라엘 백성을 인도하셨어요. 그전에는요? 이집트에 열 번째 재앙을 내리실 때 이스라엘 백성의 장자는 한 명도 죽지 않게 보호하셨답니다. 앞으로도 하나님은 이스라엘 백성이 필요로 하는 많은 것을 공급해 주실 거예요.

왜일까요? 하나님의 계획이 무엇이기에 그렇게 하시는 것인가요? **하나님의 계획은 무엇인가요? 하나님의 계획은 하나님의 백성을 노예 생활에서 구하시는 거예요.** 그리고 **전능하신 하나님은 홍해를 갈라 이스라엘 백성이 마른 땅을 건너게 하셔서** 하나님의 백성을 구하셨어요. 하나님은 모세를 통해 이스라엘 백성을 이집트에서 구하신 것처럼 언젠가 예수님을 통해 하나님의 백성을 영적으로 구원하실 거예요.

복/습/질/문

1 하나님은 이집트를 떠난 이스라엘 백성을 어디로 인도하셨나요?

홍해의 광야 길 (출 13:18)

2 하나님은 이스라엘 백성을 어떻게 인도하셨나요?

구름기둥과 불기둥으로 인도하셨다 (출 13:21)

3 이스라엘 백성을 추격한 사람들은 누구인가요?

파라오와 그의 군대 (출 14:8~9)

4 이스라엘 백성은 쫓아오는 파라오의 군대를 보고 어떻게 했나요?

두려워하며 여호와께 부르짖었고 모세에게 불평했다 (출 14:10~12)

5 모세는 이스라엘 백성에게 누가 그들을 위해 싸우실 것이라고 말했나요? 여호와 하나님 (출 14:14)

6 이스라엘 백성은 어떻게 홍해를 건넜나요?

하나님이 홍해를 가르셔서 마른 땅을 걸어서 건넜다 (출 14:21~22)

7 파라오와 그의 군대는 어떻게 되었나요?

바다에 덮여 모두 죽었다 (출 14:28)

8 하나님께 찬양한 사람들은 누구인가요?

모세와 이스라엘 백성 (출 15:1)

9 하나님이 하시기 어려운 일이 있을까요?

하나님은 무엇이든 하실 수 있어요.

10 **하나님의 계획은 무엇인가요?**

하나님의 계획은 하나님의 백성을 노예 생활에서 구하시는 거예요.

하나님이 하시는 모든 일에는 목적이 있어요. 이스라엘 백성이 이집트에서 떠난 후 하나님은 이집트 군대가 그들을 쫓도록 허락하셨어요. 왜일까요? 성경은 우리에게 그 이유를 말해 주어요. 하나님은 이렇게 말씀하셨지요. "내가 그와 그의 온 군대로 말미암아 영광을 얻어 애굽 사람들이 나를 여호와인 줄 알게 하리라"(출 14:4). 열 가지 재앙과 홍해가 갈라진 사건을 통해 **하나님은 하나님만 유일한 진짜 신이시라는 것을 이집트 사람들에게 보여 주셨어요.** 이 이야기는 하나님이 죄를 벌하시는 분이며, 하나님을 사랑하고 믿는 자들을 도와주시는 분임을 보여 준답니다.

하나님의 계획은 무엇인가요? 하나님의 계획은 하나님의 백성을 노예 생활에서 구하시는 거예요. 하나님은 모세를 통해 이스라엘 백성을 이집트의 노예 생활에서 구하셨고, 우리를 죄의 노예에서 구원하시기 위해 하나님의 아들을 보내셨어요. 성경은 예수님이 모세보다 더욱 존귀하시다고 말해요(히 3:3). 예수님을 믿는 사람들은 죄의 형벌에서 벗어나 영원한 생명을 얻게 된답니다.

복음 초청

성경과 21쪽 복음 초청 가이드를 이용해서 아이들에게 그리스도인이 되는 법을 설명해 준다. 따로 상담해 줄 사람을 정해 주고 궁금한 점이 있으면 물어보도록 격려한다.

이 시간 예수님을 마음에 모시고 싶은 친구는 함께 기도해요.

기도

하나님, 홍해를 가르는 기적을 보이실 수 있는 분은 하나님 한 분뿐이시기에 하나님을 찬양합니다. 이스라엘 백성이 홍해의 마른 땅을 건너 구원받았듯이 우리도 예수님이 내어주신 구원의 길을 통해 하나님께 갈 수 있어서 감사합니다. 우리에게 길을 주셔서 감사합니다. 예수님의 이름으로 기도합니다. 아멘.

적용

TIP 설교 도입이나 적용으로 활용하거나 영상을 본 뒤 소그룹에서 풍성한 대화를 이어 갈 수 있습니다.

어떤 일이 불가능하게 여겨졌던 적이 있나요? 여러분에게도 이런 일이 있었을지도 몰라요.

DVD 적용 예화 영상(지도자용 팩)을 보여 준다.

영상에 나온 일들도 불가능해 보였나요? 시도해 보기도 전에 할 수 없을 것이라고 느낀 적이 있었나요? 우리가 할 수 없는 일이 있을까요? 하나님이 하시기 어려운 일이 있을까요? 하나님은 무엇이든 하실 수 있어요.

가스펠 소그룹

(10~20분)

나침반

말씀 따라 한 걸음씩!

준비물 1단원 암송(107쪽), 암송 구절 어절을 적은 카드, 스톱워치

① 예배실 바닥에 암송 구절 어절을 적은 카드를 글자가 보이도록 무작위로 놓아 둔다. 카드와 카드 사이의 간격은 아이들의 보폭보다 약간 넓게 해도 좋다.

② 아이들을 2~3팀으로 나눈 뒤 팀별로 한 아이씩 앞으로 나오게 해 암송 구절 순서대로 카드를 밟으며 단원 암송을 외우게 한다.

③ 스톱워치로 시간을 재 다음 아이가 더 빨리 마칠 수 있도록 격려한다. 아이들의 숫자가 많으면 암송 구절 어절 카드를 2세트 이상 만들어 2명 이상을 동시에 진행한다.

── 이스라엘 백성은 하나님이 이집트 사람들로부터 마침내 완전히 구해 주신 놀라운 일을 경험했어요. 하나님은 하나님의 백성을 구하셨고, 하나님의 백성은 하나님이 자신들을 인도하시는 분이라는 것을 믿게 되었답니다.

탐험하기

하나님만 따라가요

준비물 학생용 교재 12쪽, 연필, 성경

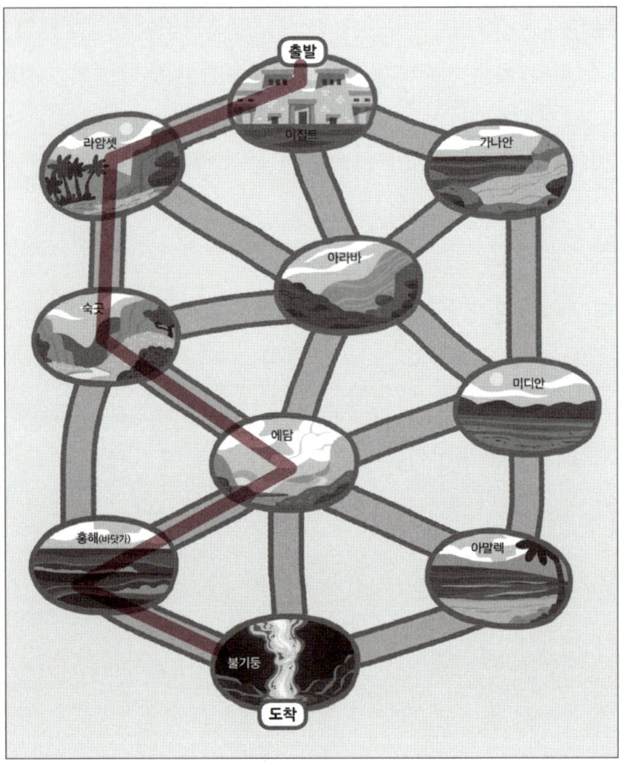

① 성경에서 출애굽기 12장 37절과 13장 20절, 14장 2절을 펴고 이스라엘 백성이 지나간 곳을 찾아보게 한다.

② 이집트에서 출발해 성경에서 찾은 각 장소를 거쳐 불기둥에 도착해야 한다고 말해 준다.

── **하나님은 하나님의 백성을 이집트의 노예 생활에서 구하셨어요.** 하나님은 구름기둥과 불기둥으로 그들을 인도하셨답니다. 이집트를 탈출한 이스라엘 백성이 홍해 앞에서 두려워할 때도 하나님은 큰 능력으로 그들을 구해 주셨어요. 약속의 땅으로 가는 길이 쉽지 않았지만 이스라엘 백성은 하나님만 따라가면 안전하다는 것을 깨닫게 되었어요. 하나님은 이스라엘 백성을 보호해 주셨답니다.

인도하시는 대로

준비물 학생용 교재 13쪽, 연필

명시된 좌표에 있는 글자를 차례대로 써 넣어 '성경의 초점'의 답을 완성하게 한다.

하나님의 계획은
하나님의 백성을
노예 생활에서
구하시는 거예요.

── 하나님은 홍해를 가르셔서 이스라엘 백성이 마른 땅을 건너게 하셨고, 불기둥과 구름기둥으로 인도하셔서 광야에 이르게 하셨어요. 이스라엘 백성을 이집트의 노예 생활에서 인도해 내셨지요. **하나님의 계획은 무엇인가요? 하나님의 계획은 하나님의 백성을 노예 생활에서 구하시는 거예요.**

홍해 퍼즐 *

준비물 도화지 25장(15장에는 숫자를 쓰고 나머지는 빈 종이로 놓아 두거나 X 표시한다), 매직펜, 셀로판테이프(선택), 콩 주머니

① 숫자 1~15를 각각 적은 종이를 작은 숫자부터 차례로 길을 만들며 배열한다. 중간중간 빈 종이를 이용해 빈칸을 만든다(샘플 참조). 모든 종이를 뒤집어 숫자를 감춘다. 5X5 형대로 종이를 바닥에 놓아 둔다. 고정시킬 필요가 있으면 셀로판테이프를 이용한다.

② 아이들을 2~3팀으로 나눈 뒤 한 명씩 차례로 나와 숫자판을 향해 콩 주머니를 던지게 한다. 콩 주머니가 네모 칸에 들어가면 해당되는 칸의 종이를 뒤집어 1점을 얻을 수 있다.

③ 단 각 종이는 길을 따라 나아가도록 1부터 순서대로 뒤집어야 한다는 규칙을 말해 준다. 순서가 바뀌었을 경우 다시 종이를 뒤집어 두고 점수를 받지 못한다.

④ 순서대로 종이를 뒤집었을 경우, 복습 질문에 답하면 추가 점수 1점의 기회를 얻는다.

1 하나님은 이집트를 떠난 이스라엘 백성을 어디로 인도하셨나요?
홍해의 광야 길 (출 13:18)

2 하나님은 이스라엘 백성을 어떻게 인도하셨나요?
구름기둥과 불기둥으로 인도하셨다 (출 13:21)

3 이스라엘 백성을 추격한 사람들은 누구인가요?
파라오와 그의 군대 (출 14:8~9)

4 이스라엘 백성은 쫓아오는 파라오의 군대를 보고 어떻게 했나요?
두려워하며 여호와께 부르짖었고 모세에게 불평했다 (출 14:10~12)

5 모세는 이스라엘 백성에게 누가 그들을 위해 싸우실 것이라고 말했나요? 여호와 하나님 (출 14:14)

6 이스라엘 백성은 어떻게 홍해를 건넜나요?
하나님이 홍해를 가르셔서 마른 땅을 걸어서 건넜다 (출 14:21~22)

7 파라오와 그의 군대는 어떻게 되었나요?
바다에 덮여 모두 죽었다 (출 14:28)

8 하나님께 찬양한 사람들은 누구인가요?
모세와 이스라엘 백성 (출 15:1)

9 하나님이 하시기 어려운 일이 있을까요?
하나님은 무엇이든 하실 수 있어요.

10 하나님의 계획은 무엇인가요?
하나님의 계획은 하나님의 백성을 노예 생활에서 구하시는 거예요.

TIP 2과의 복습 질문을 이용해 게임을 연장해도 좋다.

— **하나님은 홍해를 가르셔서 이스라엘 백성이 마른 땅을 건너게 하셨고, 불기둥과 구름기둥으로 인도하셔서 광야에 이르게 하셨어요.** 하지만 우리가 방금 했던 게임의 뒤집혀진 숫자판처럼, 이스라엘 백성도 그들이 가야할 길이 어딘지 몰랐어요. 하지만 이스라엘 백성을 이집트에서 탈출시켜 주신 분은 하나님이시라는 것을 알기에 그들은 광야에서도 하나님의 불기둥과 구름기둥만 따라갔어요. 우리도 예수님이 우리를 구원해주신 것을 알고 믿기 때문에 예수님만 따라가요!

보물 상자

나만의 기록장

준비물 학생용 교재 14쪽, 연필

— **하나님은 하나님만 유일한 진짜 신이시라는 것을 이집트 사람들에게 보여 주셨어요.** 하나님은 하나님의 백성을 큰 능력으로 구하셨어요. 하나님은 예수님의 죽음과 부활의 능력을 통해 우리를 죄에서 구원하셨어요.

① 하나님이 놀랍게 인도해 주셨던 경험을 떠올리며 하나님께 감사의 편지를 써 보게 한다.

② 지금 하나님의 도우심이 필요한 일이 있다면 적어 보면서 전능하신 하나님을 기억하게 돕는다.

메시지 카드

이번 주 메시지 카드로 부모님과 함께 오늘 배운 성경 이야기를 나누어 보라고 한다.

기도

하나님, 하나님만이 우리의 하나님이십니다. 하나님의 큰 능력으로 우리를 구원해 주시고 보호해 주시니 감사합니다. 홍해를 건너게만 해 주신 것이 아니라 끊임없이 불기둥과 구름기둥으로 이스라엘 백성을 인도하셨듯이, 예수님을 통해 우리를 구원해 주시고 성령님을 통해 하나님의 백성으로 살아갈 수 있게 도와주셔서 감사합니다. 하나님을 찬양합니다. 예수님의 이름으로 기도합니다. 아멘.

4

광야에서 시험을 치렀어요

출 15:22~17:7

단원 암송

모세가 백성에게 이르되
너희는 두려워하지 말고 가만히 서서
여호와께서 오늘 너희를 위하여 행하시는
구원을 보라 너희가 오늘 본 애굽 사람을
영원히 다시 보지 아니하리라(출 14:13).

성경의 초점

하나님의 계획은 무엇인가요?
하나님의 계획은 하나님의 백성을
노예 생활에서 구하시는 거예요.

본문 속으로

이스라엘 백성의 미래는 매우 밝아 보였습니다. 하나님은 모세를 통해 하나님의 백성을 이집트의 노예 생활에서 구하셨습니다. 하나님은 그들을 위해 싸우셨고, 홍해를 가르시고 이집트의 군대를 물리치심으로 그분의 능력을 보이셨습니다. 하나님은 이스라엘 백성을 아브라함에게 약속하셨던 땅으로 인도하셨습니다.

그러나 이스라엘 백성은 이집트에서 가나안으로 바로 향하지 못했습니다. 하나님은 그분의 백성을 광야로 인도하셨습니다. 그들의 밝은 미래는 사라지는 듯했습니다. 마른입과 텅 비어 요동치는 굶주린 배는 불평과 비난으로 이어졌습니다. 그들은 하나님의 선하심을 의심했습니다. 이스라엘 백성의 굶주림은 절망으로 이어졌습니다. "우리가 애굽 땅에서 고기 가마 곁에 앉아 있던 때와 떡을 배불리 먹던 때에 여호와의 손에 죽었더라면 좋았을 것을 너희가 이 광야로 우리를 인도해 내어 이 온 회중이 주려 죽게 하는도다"(출 16:3).

다시 한 번 하나님은 이스라엘 백성의 필요를 채우셨습니다. 모세와 아론은 여호와께서 하나님의 백성의 필요를 채워 주시는 이유에 대해 이렇게 말했습니다. "너희가 여호와께서 너희를 애굽 땅에서 인도하여 내셨음을 알 것이요"(출 16:6). 하나님은 만나와 메추라기를 보내 이스라엘 백성을 먹이셨습니다. 그들은 광야에서 40년 동안 만나를 먹었습니다.

하나님은 우리의 공급자이십니다. 광야에서 이스라엘 백성의 필요를 채워 주신 것처럼, 하나님은 아들이신 예수님을 보내시어 우리의 영적 필요를 채워 주셨습니다. 예수님은 우리에게 영원한 생명을 주시는 생명의 떡이십니다(요 6:35).

● ● 티칭 포인트

아이들에게 하나님은 우리의 필요가 무엇인지 잘 알고 계시고, 그 필요를 채워 주시는 분임을 알려 주십시오. 연약한 우리가 해결할 수 없는 우리의 죄에 대한 문제를 해결해 주시고 영원한 생명을 선물로 주신 하나님을 묵상할 수 있도록 도와주십시오.

주 제

하나님은 하나님의 백성의 필요를 채워 주셨어요.

가스펠 링크

하나님이 만나를 내려 하나님의 백성의 필요를 채워 주셨듯이
하나님은 우리의 영적 필요를 채우시기 위해 예수님을 보내 주셨어요.

광야에서 시험을 치렀어요 출 15:22~17:7

모세는 이스라엘 백성을 홍해에서 광야로 인도했어요. 그런데 마실 물을 구하지 못하자 이스라엘 백성은 모세에게 불평했어요. 하나님이 말씀하셨어요. "너희가 내 말을 들어 순종하고 내가 보기에 옳은 일을 행하며 내 계명에 귀를 기울이며 내 모든 규칙을 지키면 내가 이집트 사람에게 내린 질병들을 너희에게 내리지 않을 것이다. 나는 너희를 치료하는 여호와이니라." 곧 이스라엘 백성은 엘림에 도착해 물과 음식을 발견했고, 그 샘물 가까이에 장막을 쳤어요.

이스라엘 백성은 엘림을 떠나 다시 광야로 들어갔어요. 그들은 굶주리게 되자 모세에게 또 불평했지요. "차라리 이집트에서 고기 삶는 솥 주위에 둘러앉아 먹고 싶은 만큼 음식을 먹을 때 여호와의 손에 죽는 것이 나았을 텐데! 당신이 우리를 이 광야로 끌고 나와 다 굶어 죽게 생겼습니다!" 그러나 하나님은 이스라엘 백성을 광야에서 죽게 하시려고 인도해 내신 것이 아니었어요. 모든 것은 하나님의 계획 가운데 있었답니다.

하나님은 "해가 질 때에는 너희가 고기를 먹을 것이요, 아침에는 떡(빵)으로 배부를 것이다. 그러면 내가 너희 하나님 여호와인 줄 너희가 알게 될 것이다"라고 말씀하셨어요. 저녁이 되자 메추라기가 와서 진에 덮이고, 아침에는 땅 위에 작고 둥글며 서리같이 가는 것이 쌓였어요. 이스라엘 백성은 어리둥절해 "이것이 무엇이냐?" 하며 서로 물었어요. 모세가 대답했지요. "이것은 여호와께서 여러분에게 먹으라고 주신 양식입니다." 이스라엘 백성은 이것을 '만나'라고 불렀어요. '만나'란 '이것이 무엇이냐?'라는 뜻이랍니다.

하나님은 각 사람이 먹을 만큼만 만나를 거두라고 하셨어요. 그리고 안식일 전날에는 만나를 두 배로 거두라고 하셨어요. 일곱 번째 날인 안식일에는 쉬어야 했기 때문이지요. 그러나 이스라엘 백성은 하나님의 명령을 따르지 않았어요. 만나를 많이 거두어서 다음 날 아침까지 남겨 두었다가 벌레가 생기고 냄새가 나서 먹지 못하는 경우도 있었고, 또 어떤 사람은 안식일에 만나를 거두려고도 했지요. 이스라엘 백성은 40년 동안 광야에서 만나를 먹었답니다.

이스라엘 백성은 하나님의 명령을 따라 광야를 떠돌았어요. 어느 날 그들은 마실 물을 구하지 못하자 모세에게 대들었어요. "우리에게 마실 물을 주십시오!" 모세는 "여러분은 왜 저와 싸우려 합니까?"라고 물었어요. 이스라엘 백성은 원망하며 대답했지요. "왜 우리를 이집트에서 데리고 나와 목말라 죽게 하는 것입니까?" 그들은 여호와께서 그들을 위해 하신 일을 잊어버린 거예요!

모세는 여호와께 부르짖었어요. "제가 어떻게 해야 합니까?" 하나님은 모세에게 반석을 보여 주셨고, 지팡이로 반석을 치라고 하셨어요. 모세가 순종하자 반석에서 물이 나왔고 백성은 그 물을 마셨어요. 그것은 하나님이 이스라엘 백성과 함께하신다는 표적이었지요.

●● 가스펠 링크

예수님은 자신이 '생명의 떡'이라고 말씀하셨어요(요 6:31~35). 하나님은 하나님의 백성의 필요를 채우는 만나를 주셨고, 우리의 영적 필요를 채우기 위해 예수님을 보내 주셨어요. 이스라엘 백성은 이 땅에서 살아가기 위해 떡이 필요했지만, 생명의 떡이신 예수님을 믿는 사람은 누구나 영원한 생명을 얻을 수 있답니다!

가스펠 준비

(10~20분)

환영

도착하는 아이들을 반갑게 맞이하고 헌금, 출석, QT 등을 확인하며 격려한다. 새 친구가 있다면 소개한다. 편안한 분위기에서 안부를 물으며 오늘의 말씀과 관련된 화제로 이야기를 나눈다. 못 견딜 정도로 배가 고프거나 목이 말랐던 적이 있었는지 물어본다. 자발적으로 대화에 참여하도록 이끈다.

예) "너무 배고프거나 목말라서 힘들었던 적이 있나요? 어떤 상황이었고, 어떻게 느꼈나요?", "그때 다른 사람에게 불평했나요?" 등.

마음 열기

내 입에 만나 *

준비물 접시, 사탕, 밀가루(선택), 눈가리개

① 두 팀으로 나눈 뒤 출발선에 한 줄로 세운다.

② 각 팀의 선두 주자에게 눈가리개를 해 준다. 팀원들의 설명을 듣고 이동해 접시에 담긴 사탕을 입에 물고 제자리로 돌아와야 한다고 말해 준다.

③ 돌아올 때까지 눈가리개를 풀지 말라고 주의를 주고, 도착하면 다음 주자에게 눈가리개를 건네주어 게임을 계속한다.

④ 팀 전원이 먼저 사탕을 입에 물고 돌아온 팀이 승리한다.

— 오래전에 이스라엘 백성은 광야에 있었는데, 그곳에는 음식과 물이 없었어요. 이스라엘 백성은 배가 고프다며 불평했지요. 하나님은 그런 이스라엘 백성을 위해서 아침마다 만나를 주셨답니다. 오늘의 성경 이야기를 들으며 더 자세한 이야기를 살펴보아요.

물이 필요해 *

준비물 물, 불투명한 컵 4개

① 4개의 컵 중에서 한 개에만 물을 따라 놓는다. 아이들이 어느 컵에 물이 들었는지 알 수 없게 한다.

② 아이들 중 대표 한 명을 뽑아 앞으로 나오게 한 뒤 각 컵을 들고 그 안에 있는 물을 마시는 척하게 한다.

③ 나머지 아이들은 실제로 물이 들어 있는 컵이 무엇인지 찾아야 한다.

— 이집트를 탈출한 이스라엘 백성이 만난 땅은 사막과 같은 광야였어요. 그곳에서는 물을 구하는 것이 쉽지가 않았지요. 뜨거운 태양 아래 이스라엘 백성은 목이 말랐어요. 그들이 물을 구할 수 있는 방법은 무엇일까요? 오늘 성경 이야기를 통해서 그 답을 찾아보아요.

들어가기

준비물 위대한 경주 힌트 카드(지도자용 팩), 성경, 물안경이나 오리발 등 수영 용품, 이집트 지도(지도자용 팩), '하나님이 채워 주신다'의 각 글자를 적은 색인 카드

운동복을 입고 등장한다. 위대한 경주 힌트 카드와 성경을 들고 있다. 물안경이나 오리발 같은 수영 용품을 추가한다. 이집트 지도가 예배실 벽에 걸려 있다.

안녕하세요, 여러분! 이번 주 위대한 경주에서 저는 홍해를 수영해서 건넜답니다! 하나님이 이스라엘 백성에게 하셨던 것처럼 홍해를 갈라 주셨다면 훨씬 편했을 텐데요. 위대한 경주 힌트 카드를 읽을게요! 위대한 경주 힌트 카드를 꺼낸다.

광야의 장애물 : 위대한 경주를 계속하기 위해서는 다음 글자들을 중요한 진리로 바꾸어라.

'이하님나워채신주다.'

아, 저는 수영하느라 너무 피곤해요. 여러분이 장애물을 헤쳐 나가는 것을 도와줄래요? 고마워요! 아이들에게 글자를 적은 카드를 한 장씩 나누어 준 뒤 높이 들게 한다. 글자의 순서를 바꾸어 위대한 경주의 장애물을 풀도록 한다.

'하나님이 채워 주신다.'

정말 잘했어요! 오늘의 성경 이야기에서 하나님이 이스라엘 백성의 무엇을 채워 주셨는지 살펴보기로 해요.

연대표

모세를 부르셨어요

이스라엘 백성은 재앙을 피했어요

홍해를 건넜어요

광야에서 시험을 치렀어요

지금 우리는 어디에 있지요? 지난주에 하나님은 홍해 사건을 통해 이집트 사람들에게 하나님의 능력을 놀라운 방법으로 보여 주셨어요. 지난주의 성경 이야기를 가리킨다. **하나님은 하나님의 백성을** 이집트의 **노예 생활에서 구하셨어요.** 연대표에 따르면, 오늘의 성경 이야기의 제목은 "광야에서 시험을 치렀어요"예요. 아, 저는 시험이 싫어요. 하나님은 이스라엘 백성에게 어떤 시험을 주셨을까요? 이스라엘 백성이 잘 써지는 연필을 갖고 있었다면 좋았을 텐데요!

성경의 초점

여러분은 1단원의 '성경의 초점'을 기억하나요? **하나님의 계획은 무엇인가요? 하나님의 계획은 하나님의 백성을 노예 생활에서 구하시는 거예요.** 오늘의 성경 이야기에서 이스라엘 백성은 하나님이 자신들을 향한 계획을 갖고 계시다는 사실을 잊어버렸어요. 그들은 모세에게 불평했지요. 이스라엘 백성이 왜 불평했는지 한번 알아볼까요? 잘 들어 보세요.

성경 이야기

출애굽기 15~17장을 펴고, 설교 영상(지도자용 팩)을 보여 주거나 이야기 성경을 들려준다.

모세는 이스라엘 백성을 홍해에서 광야로 인도했어요. 광야에서 하나님은 이스라엘 백성을 시험하셨어요. "너희가 내 말을 들어 순종하고 내가 보기에 옳은 일을 행하며 내 계명에 귀를 기울이며 내 모든 규칙을 지키면 내가 이집트 사람에게 내린 질병들을 너희에게 내리지 않을 것이다. 나는 너희를 치료하는 여호와이니라."

이제 다른 시험 문제를 낼게요. 참고로, 가짜 시험이에요! 아이들에게 인도자가 하는 말이 참이면 왼손을, 거짓이면 오른손을 들게 한다.

복/습/질/문

1. 이스라엘 백성은 엘림에서 먹을 것과 물을 풍성하게 얻었다.
   참 (출 15:27)
2. 이스라엘 백성은 굶주렸지만 모세에게 불평하지는 않았다.
   거짓, 이스라엘 백성은 모세에게 불평했다 (출 16:2~3)
3. 하나님은 이스라엘 백성을 죽이려고 광야로 이끄셨다.

거짓, 하나님은 이스라엘 백성이 하나님의 법을 따르는지 시험하셨다 (출 16:4)

4 하나님은 이스라엘 백성에게 음식을 주심으로써 자신이 여호와라는 사실을 알려 주셨다.

참 (출 16:12)

5 이스라엘 백성은 하나님이 주신 양식을 '만나'라고 불렀다. '만나'란 '이것이 무엇이냐'라는 뜻이다.

참 (출 16:15, 31)

6 하나님은 이스라엘 백성에게 안식일 전날에는 두 배의 만나를 거두라고 하셨다. 안식일에는 쉬어야 하기 때문이다.

참 (출 16:22~23)

7 이스라엘 백성은 만나를 거둘 때 항상 하나님의 지시를 따랐다.

거짓, 그들은 때로는 너무 많은 만나를 거두었고, 때로는 안식일에 만나를 거두려고 했다 (출 16:20, 27)

8 이스라엘 백성은 40년 동안 만나를 먹었다.

참 (출 16:35)

9 하나님은 이스라엘 백성에게 반석에서 나온 물을 주셨다. 그것은 하나님이 그들과 함께하신다는 표적이었다.

참 (출 17:5~6)

하나님은 하나님의 백성의 필요를 채워 주셨어요. 하나님은 하나님의 백성의 필요를 채우기 위해 하늘에서 만나를 내려 주셨고, 후에 그들의 영적 필요를 위해 아들이신 예수님을 보내 주셨어요. 이스라엘 백성은 이 땅에서 살아가기 위해 떡이 필요했지만, 예수님을 믿는 사람은 누구나 영원한 생명을 얻을 수 있답니다!

찬양

여호와 나를 구원하셨네

때를 따라 도우시며
나의 삶을 돌보시네
구름기둥 불기둥
나의 걸음 인도하시네

여호와 나를 구원하셨네
원수가 날 해하지 못하네
약속의 그 나라엔
예수 우리 왕 다스리시네

불평과 원망 속에서
넘어질 때도
마침내 그 약속 이루시네

여호와 나를 구원하셨네
원수가 날 해하지 못하네
약속의 그 나라엔
예수 우리 왕 다스리시네.

DVD ※지도자용 팩 또는 가스펠 프로젝트 홈페이지(gospelproject.co.kr)에서 이용하세요.

복음 초청

성경과 21쪽 복음 초청 가이드를 이용해서 아이들에게 그리스도인이 되는 법을 설명해 준다. 따로 상담해 줄 사람을 정해 주고 궁금한 점이 있으면 물어보도록 격려한다.

이 시간 예수님을 마음에 모시고 싶은 친구는 함께 기도해요.

기도

하나님, 우리의 필요를 채워 주셔서 감사합니다! 그리고 하나님의 아들이신 예수님을 우리에게 보내 주셔서 감사합니다. 우리가 예수님을 통해 영적인 노예에서 구원받을 수 있다는 것을 믿을 수 있게 해 주세요. 사랑합니다. 예수님의 이름으로 기도합니다. 아멘.

적용

DVD 적용 예화 영상(지도자용 팩)을 보여 준다.

캠핑을 가 본 적이 있나요? 그때 혹시 잊어버리고 가져가지 않은 물건은 없었나요? 때때로 우리는 계획을 세웠으면서도 필요한 것을 잊어버려서 스스로나 다른 사람들을 실망시키곤 해요. **하나님의 계획은 하나님의 백성을 노예 생활에서 구하시는 거예요.** 하나님은 결코 우리를 실망시키지 않으세요. 하나님은 구원을 위해 우리에게 필요한 모든 것을 채워 주세요.

아이들과 함께 하나님이 우리의 필요를 채우시는 방법에 대해 이야기를 나눈다. 축복은 때로 우연처럼 보이지만, 모든 좋은 선물은 하나님으로부터 내려온다고 말해 준다(약 1:17).

가스펠 소그룹
(10~20분)

나침반

주사위 숫자만큼 말해요

준비물 1단원 암송(107쪽), 주사위

① 아이들을 둥글게 앉힌 뒤 1단원 암송을 보며 큰 소리로 함께 읽는다.

② 한 아이를 뽑아 주사위를 굴리게 한다. 나온 숫자만큼 인도자와 아이들이 암송 구절 단어를 번갈아 읽어야 한다는 게임의 규칙을 말해 준다. 예를 들어, 숫자 2가 나오면 인도자와 아이들이 두 단어씩 번갈아 가며 읽는 식이다.

③ 아이들이 암송 구절을 외울 수 있도록 격려한다. 모르는 단어가 있다면 서로서로 알려 주라고 이야기한다.

④ 자원하는 아이들을 앞으로 나오게 해 인도자의 역할을 맡기고 게임을 여러 번 계속한다.

TIP 아이들이 암송 구절을 모두 외우면 1단원 암송을 가리고 진행한다.

보물 지도

응답하라! 광야 생활

준비물 성경, 사인펜, 색인 카드

① 아이들을 둥글게 앉힌 뒤 성경에서 출애굽기 15장을 펴게 한다. 아이들 중에 출애굽기 1~14장에서 있었던 일을 기억하는 친구가 있는지 물어본다(모세의 출생과 부르심, 재앙, 유월절과 홍해 사건).

② 하나님이 광야에서 이스라엘 백성을 시험하셨다는 것을 떠올려 준다. 하나님은 이렇게 말씀하셨다. "너희가 내 말을 들어 순종하고 내가 보기에 옳은 일을 행하며 내 계명에 귀를 기울이며 내 모든 규칙을 지키면 내가 이집트 사람에게 내린 질병들을 너희에게 내리지 않을 것이다. 나는 너희를 치료하는 여호와이니라."

③ 아이들을 두 팀으로 나눈 뒤 각 팀에게 사인펜과 5장의 색인 카드를 나누어 준다.

④ 팀원끼리 상의해서 5개의 문제를 만들게 하고, 5장의 색인 카드에 각각 적은 뒤 인도자에게 제출하게 한다.

예) 1. 하나님이 아침에 내려 주신 음식은 무엇이었나요? (만나)

2. 하나님이 저녁에 내려 주신 음식은 무엇이었나요? (메추라기)

3. 이스라엘 백성은 안식일 전날 얼마나 많은 양의 음식을 거두었나요? (이틀 치의 음식)

⑤ 팀별로 대표자를 뽑아 가위바위보로 먼저 답할 팀을 정한 뒤 오늘의 성경 이야기에 관해 상대 팀이 만든 5개의 질문에 답하게 한다. 답을 맞힐 때마다 점수를 준다.

— 잘했어요! 여러분은 오늘의 성경 이야기의 주제를 기억하나요? (하나님은 하나님의 백성의 필요를 채워 주셨어요.) 맞아요, 이스라엘 백성은 배고픔과 목마름으로 인해 모세에게 불평했어요. 그들은 하나님이 자신들을 위한 계획을 갖고 계시다는 것을 잊어버렸지요. 40년 동안, 모세와 이스라엘 백성은 하나님이 내려 주신 음식을 먹고 물을 마셨어요(출 16:35, 고전 10:3~4). 40년 동안 하나님이 매일 내려 주신 음식과 물은 이스라엘 백성에게 하나님이 여호와 하나님이시라는 사실을 기억하게 해 주었어요(출 16:12).

탐험하기

생명의 양식 1

준비물 학생용 교재 16쪽, 연필

그림에서 메추라기가 아닌 새 5마리를 찾아 ○표 하게 한다.

생명의 양식 2

준비물 학생용 교재 17쪽, 연필

그림에서 만나가 든 바구니에 담긴 어절을 모두 찾아 조합해 4과의 주제 문장 "하나님은 하나님의 백성의 필요를 채워 주셨어요"를 완성하게 한다.

하 나 님 은 하 나 님 의
백 성 의 필 요 를
채 워 주 셨 어 요.

광야에서는 당연히 그 많은 이스라엘 백성이 먹을 음식이 구해질 리가 없었어요. 이스라엘 백성을 광야로 인도하신 하나님은 굶주린 백성이 직접 기르고 만드는 수고를 하지 않아도 얻을 수 있는 메추라기와 만나를 주셨어요. 하나님은 이스라엘 백성의 필요를 잘 알고 채워 주셨어요. 하나님은 우리의 필요도 잘 알고 채워 주세요. 하나님은 '생명의 떡'이신 예수님을 보내 주셔서 우리의 영적 필요를 채워 주셨어요.

만나 먹기 *

준비물 동그랗고 납작한 뻥튀기(인원수)

① 아이들에게 뻥튀기를 한 장씩 나누어 준 뒤 손을 대지 않고 입으로만 먹어야 한다는 규칙을 말해 준다.

② 성공한 아이들에게 비결을 물어본다.

TIP 성공의 비결은 욕심 부리지 않고 조금씩 돌려 가면서 먹는 것이다.

하나님은 굶주린 이스라엘 백성을 위해서 매일 아침 만나를 내려 주셨어요. 하지만 만나를 먹는 데는 규칙이 있었어요. 매일 아침 만나를 거두되 그날 먹을 만큼만 거두어야 했지요. 욕심을 부려 너무 많이 거두면 다음 날 썩고 말았기 때문이에요. 이스라엘 백성은 매일 하나님이 내려 주시는 만나를 먹으며 필요를 채워 주시는 하나님의 은혜를 체험했어요.

먹을 만큼만 *

준비물 저울, 간식(아이들이 간식이 될 만한 낱개 포장된 여러 종류의 사탕이나 과자), 불투명한 소형 용기와 뚜껑

① 불투명한 용기에 한 아이가 먹기 적당한 양의 사탕이나 과자를 미리 넣고 뚜껑을 닫아 아이들이 내용물을 보지 못하게 한다.

② 아이들에게 용기의 무게만큼 간식을 가져온 아이는 간식을 먹을 수 있다고 말해 준다.

③ 아이들을 2~3팀으로 나눈 뒤, 각 팀에서 차례대로 한 명씩 나와서 용기를 들어 무게를 느껴 보게 한다.

④ 간식 더미에서 적당량을 집어 저울에 올려놓게 한다. 기회는 한 번 뿐이라고 주의를 준다.

⑤ 용기의 무게와 다르다면 간식을 되돌려 놓게 한다.

⑥ 가장 먼저 용기 무게와 같은 양의 간식을 가져오거나 마지막 아이까지 순서가 다 돌아갔을 경우 용기 무게와 가장 근접했던 아이가 있는 팀이 이긴다.

⑦ 나머지 간식은 아이들에게 골고루 나누어 준다.

하나님은 이스라엘 백성에게 각 사람이 먹을 만큼만 만나를 거두라고 하셨어요. 하지만 이스라엘 백성은 필요한 것보다 더 많은 양을 거두기도 했어요. 하지만 먹고 남겨 둔 만나는 먹지 못하게 되었어요. 하나님이 내려 주신 만나는 이스라엘 백성이 이 땅에서 살아가기 위한 떡이었지만, 예수님은 하나님이 내려 주신 생명의 떡으로, 예수님을 믿는 사람은 누구나 영원한 생명을 얻어요.

보물 상자

나만의 기록장

준비물 학생용 교재 18쪽, 연필

하나님이 자신의 필요를 채우셨던 순간에 대해 떠올리게 한 후 자신과 가족에게 필요한 것들을 채워 주시는 하나님께 감사드리는 기도문을 적어 보게 한다.

메시지 카드

이번 주 메시지 카드로 부모님과 함께 오늘 배운 성경 이야기를 나누어 보라고 한다.

기도

하나님, 우리를 늘 살펴보시고 우리의 필요를 채워 주셔서 감사합니다. 우리는 연약해서 우리의 힘으로는 살아갈 수 없습니다. 하나님의 인도하심에 우리가 만족하게 도와주세요. 우리가 욕심을 부리지 않도록 우리 마음이 하나님으로 채워지게 해 주세요. 예수님의 이름으로 기도합니다. 아멘.

5

금송아지를 만들었어요

출 32:1~35, 34:1~9

단원 암송

모세가 백성에게 이르되
너희는 두려워하지 말고 가만히 서서
여호와께서 오늘 너희를 위하여 행하시는
구원을 보라 너희가 오늘 본 애굽 사람을
영원히 다시 보지 아니하리라(출 14:13).

성경의 초점

하나님의 계획은 무엇인가요?
하나님의 계획은 하나님의 백성을
노예 생활에서 구하시는 거예요.

본문 속으로

하나님은 이스라엘 백성을 광야로 보내셨지만 그들을 버려두지 않으셨습니다. 하나님은 그들과 함께 계셨고, 고기, 떡, 그리고 물을 공급해 주셨습니다. 또한 이스라엘 백성을 시내 산으로 인도하셔서 그들의 지도자인 모세와 만나셨습니다. 하나님은 산에서 불 가운데 강림하셨습니다. 이스라엘 백성은 하나님의 확실하고 강한 임재를 경험했습니다.

그러나 모세가 산에 올라가 몇 주 동안 돌아오지 않자 이스라엘 백성은 버림받았다고 느꼈습니다. 그들은 모세의 형 아론에게 말했습니다. "일어나라 우리를 위하여 우리를 인도할 신을 만들라 이 모세 곧 우리를 애굽 땅에서 인도하여 낸 사람은 어찌 되었는지 알지 못함이니라"(출 32:1). 이에 아론은 이스라엘 백성이 끔찍한 죄를 짓도록 돕는 일을 이끌게 되었습니다. 그는 사람들에게서 금을 거두어 금송아지를 만들었고, 사람들은 금송아지에게 경배했습니다.

하나님은 사람들이 하고 있는 일을 보시고는 모세에게 당장 산에서 내려가라고 말씀하셨습니다. 모세는 화가 나서 아론에게 어떻게 이끌었기에 사람들이 죄를 짓게 되었냐고 물었습니다. 아론은 사람들이 모세의 행적을 알 수 없으니 자신들을 인도할 신을 만들어 달라고 요청했고, 금을 가져오라고 했더니 금을 자신에게로 가져왔으며, 자신이 금을 불에 던지자 이 송아지가 나왔다고 말했습니다(출 32:23~24). 하나님은 금송아지를 섬긴 이스라엘 백성을 벌하셨습니다.

모세는 시내 산으로 돌아가 이스라엘의 죄를 사해 주시도록 하나님께 간구했습니다. 하지만 모세가 이스라엘 백성의 죄를 속죄하지는 못했습니다. 그럼에도 불구하고 하나님은 이스라엘 백성을 버리지 않으셨습니다. 하나님은 이스라엘 백성이 그들의 죄에 대해 책임을 져야 한다고 하셨지만 이스라엘 백성을 떠나지는 않을 것이라고 말씀하셨습니다.

●● 티칭 포인트

아이들에게 우상의 개념을 알려 주십시오. '우상'이란 우리가 하나님보다 더 중요하게 여기는 어떤 것이고, 그 어떤 것도 우상이 될 수 있으며, 우상은 죄라고 설명해 주십시오. 이스라엘 백성이 그들의 죄로 인해 벌을 받은 것처럼 우리는 우리의 죄로 인해 벌을 받아야만 합니다. 그러나 예수님은 결코 죄를 짓지 않으셨으며 모세보다 존귀하신 분입니다. 우리가 죄를 지으면 예수님은 우리를 위해 아버지께 간구하실 뿐 아니라 우리 죄를 대신 속죄해 주십니다. 하나님은 예수님을 믿는 사람의 죄를 사해 주십니다.

주 제

하나님은 금송아지를 섬긴 하나님의 백성을 벌하셨어요.

가스펠 링크

모세가 이스라엘 백성의 죄를 용서해 달라고 했던 것처럼 예수님은 하나님과 사람 사이의 중재자이세요. 예수님은 십자가에서 우리의 죄를 사해 주셨고, 우리를 대신해 하나님 앞에 서 주셨어요.

금송아지를 만들었어요 출 32:1~35, 34:1~9

이스라엘 백성은 시내 산에 도착해 산 앞에 장막을 쳤어요. 모세는 산으로 올라갔고, 하나님이 모세에게 말씀하셨어요. 그렇게 모세는 시내 산에서 40일 밤낮을 머물렀어요. 모세를 기다리던 이스라엘 백성은 초조해졌어요. "모세는 왜 이렇게 오랫동안 돌아오지 않을까? 살아 있기는 한 것일까?" 이스라엘 백성은 모세의 형 아론에게 가서 말했어요. "우리를 인도할 신을 만들어 주십시오. 우리를 이집트에서 이끌어 낸 모세가 어떻게 되었는지 모르겠습니다." 그러자 아론은 그들에게서 금을 모아 금송아지를 만들고 경배하게 했어요.

하나님은 이스라엘 백성이 저지른 죄를 보시고 진노하셨어요. "내가 그들을 쳐서 없애 버리리라." 모세는 하나님께 간절히 기도했어요. "주의 백성에게 재앙을 내리지 말아 주십시오. 주의 종 아브라함과 이삭과 이스라엘을 기억해 주십시오. 자손을 하늘의 별같이 많게 하고 약속한 모든 땅을 자손에게 줄 것이니 이것이 그들의 영원한 기업이 될 것이라고 맹세하지 않으셨습니까?" 그러자 하나님은 이스라엘 백성을 멸하지 않기로 하셨어요.

모세는 시내 산을 내려갔어요. 그는 하나님이 직접 하나님의 법을 새기신 두 개의 돌판을 가지고 있었지요. 모세가 진에 다가가자 사람들이 금송아지 앞에서 춤추는 것이 보였어요. 화가 난 그는 손에 있던 돌판들을 산 아래로 던져 깨뜨려 버렸어요. 그리고 그들이 만든 금송아지를 부수어 버렸답니다. 모세가 아론에게 물었어요. "왜 그들을 이 큰 죄에 빠뜨린 것입니까?" 사람들은 통제가 되지 않았어요.

다음 날 모세는 "여러분이 얼마나 큰 죄를 지었는지 아십니까? 이제 저는 여호와께 올라갑니다. 혹시 여러분을 위해 속죄할 수 있을까 해서입니다"라고 말하고는 산으로 올라가 하나님과 이야기를 나누었어요. "하나님, 이 백성이 엄청나게 큰 죄를 지었습니다! 자기들을 위해 금으로 신을 만들었습니다. 그러나 그들의 죄를 용서해 주십시오." 하나님이 말씀하셨어요. "너는 가서 그들을 약속의 땅으로 이끌어라. 그러나 때가 되면 내가 그 죄로 인해 그들에게 벌을 줄 것이다." 하나님은 금송아지를 섬긴 사람들에게 굉장히 무서운 전염병을 보내셨답니다(출 32:35, 우리말성경).

어느 날 하나님이 모세에게 돌판 둘을 새로 만들어 산으로 올라오라고 하셨어요. 하나님은 구름 속에서 말씀하셨어요. "여호와라! 여호와라! 자비롭고 은혜롭고 노하기를 더디 하고 인자와 진실이 많은 하나님이라. … 그러나 벌을 없애 주지는 않을 것이다." 모세는 땅에 엎드려 경배하며 말했어요. "여호와여, 제발 우리와 함께 가 주십시오. 우리의 죄와 잘못을 용서해 주십시오. 우리를 백성으로 삼아 주십시오." 하나님은 모세와 계속해서 만나시며 하나님의 법과 여러 규칙을 말씀하시고 새로운 돌판에 십계명을 새겨 주셨어요.

●● 가스펠 링크

이스라엘 백성은 죄를 지었어요. 모세는 이스라엘 백성을 용서해 달라고 하나님께 기도하며 그들의 *중재자가 되었어요. 그러나 모세는 속죄를 위해서는 아무것도 할 수 없었어요. 우리에게는 더 나은 중재자, 예수님이 계세요. 예수님은 십자가에서 우리의 죄를 사해 주셨고, 우리를 대신해 하나님 앞에 서서 중재자가 되어 주셨어요. 예수님을 믿으면 우리의 죄는 용서받을 수 있어요(히 3:5~6).

*중재자 : 화해시키는 사람

가스펠 준비

(10~20분)

환영

도착하는 아이들을 반갑게 맞이하고 헌금, 출석, QT 등을 확인하며 격려한다. 새 친구가 있다면 소개한다. 편안한 분위기에서 안부를 물으며 오늘의 말씀과 관련된 화제로 이야기를 나눈다. 지난주에 가족이나 친구들에게 잘못한 일이 있었는지 물어본다. 자발적으로 대화에 참여하도록 이끈다.

예) "지난주에 부모님께 잘못한 일이 있었나요?", "혹시 벌을 받았나요?", "그때 기분이 어떠했나요?" 등.

마음 열기

금송아지다! *

준비물 주제를 나누어 적은 어절 카드 여러 세트

① 아이들을 둥글게 앉힌 뒤 주제 어절 카드를 뒤집은 상태로 아이들 앞에 한 장씩 놓아 둔다.

② 인도자의 신호에 맞추어 동시에 카드를 뒤집게 한다.

③ '금송아지' 단어가 적힌 카드를 가진 아이가 가장 먼저 "금송아지다!"라고 외치면서 카드를 내려놓으면 승자가 된다.

— 오늘의 성경 이야기에서 이스라엘 백성은 금송아지를 경배했어요. '경배하다'라는 말은 '굉장히 존경하거나 감탄하다', '헌신하다', '크게 가치를 두거나 영광을 돌리다'라는 뜻이에요. 하나님은 금송아지를 섬긴 이스라엘 백성을 벌하셨어요. 오늘의 성경 이야기에 대해 좀 더 알아볼까요?

스트라이크! 금송아지를 날려라 *

준비물 종이컵, 종이공, 매직펜

① 아이들을 둘씩 짝을 지은 뒤 각 팀당 10개의 종이컵과 종이공 한 개씩을 나누어 준다.

② 종이컵 하나에 매직펜으로 '금송아지'라고 쓰게 한다.

③ 종이컵으로 피라미드를 쌓고 맨 위에 '금송아지'가 적힌 종이컵을 올려놓게 한다.

④ 팀에서 한 명을 뽑아 적당히 떨어진 곳에 서서 볼링공을 굴리듯 종이공을 굴려 종이컵 피라미드를 쓰러뜨리게 한다. 쓰러뜨린 개수만큼 점수를 획득한다.

— 오늘 우리는 모세가 이스라엘 백성이 섬기던 금송아지를 부서뜨린 사건에 대해 배울 거예요.

가스펠 **설교**

(15~30분)

들어가기

DVD **준비물** 위대한 경주 힌트 카드, 5과 일러스트(지도자용 팩), 봉투, 가위

미리 5과 일러스트를 두꺼운 종이에 프린트하고 여러 조각으로 잘라 퍼즐로 만들어 둔다. 퍼즐을 봉투에 넣는다.

안녕하세요, 여러분! 저는 위대한 경주를 하고 있는 중이에요! 이제 경주에서 내는 문제를 맞히고 계속 경주를 해야 돼요. 힌트가 이 카드에 적혀 있어요. 뭐라고 쓰여 있는지 한번 볼까요?

퍼즐을 맞추어 이스라엘이 섬긴 금 신을 알아내라.

그리고 위대한 경주를 계속하라.

제가 가지고 있는 퍼즐을 맞추어 '금 신'이 무엇인지 알아맞혀야 해요. 도와줄 수 있나요? 좋아요, 그럼 나와서 저와 같이 퍼즐을 맞추어요. 퍼즐을 맞춘다. 잘했어요! 금 신은 바로 금송아지였네요! 오늘의 성경 이야기에서 이스라엘 백성이 왜 금송아지를 섬겼는지 알아보도록 해요.

연대표

우리가 성경 속 어디쯤 있는지 함께 살펴보아요.

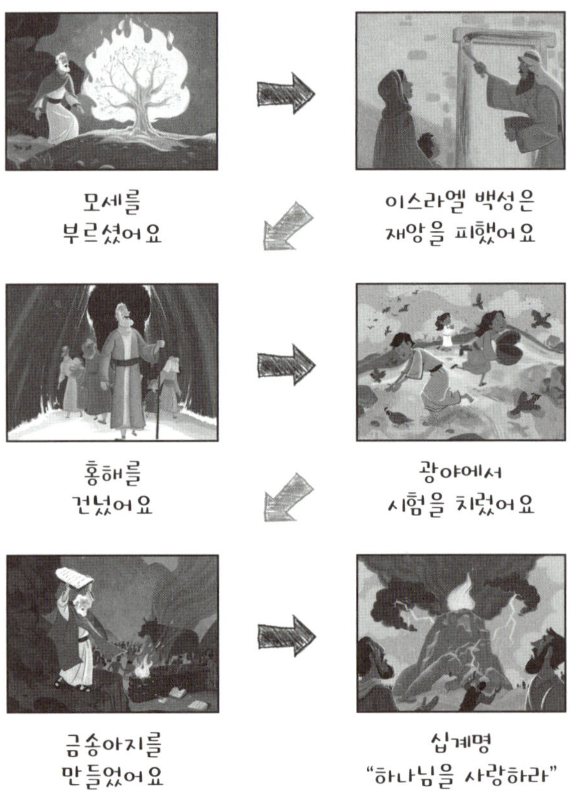

몇 주 전에 우리는 하나님이 재앙을 보내셔서 이집트 사람들의 죄를 벌하신 것에 대해 배웠어요. 여러분은 왜 그런 일들이 일어났는지 이유를 알고 있나요? 이집트 사람들은 태양신 '라', 나일 강의 신 '하피' 같은 가짜 신들을 섬겼거든요. 그러나 재앙을 통해 **하나님은 하나님만 진짜 신이시라는 것을 이집트 사람들에게 보여 주셨어요.** 연대표에서 "금송아지를 만들었어요"를 가리킨다. 오늘 우리는 여기에 있어요! 여기에는 '금송아지'라고 써 있네요. 오! 뭔가 가짜 신처럼 들려요. 여러분은 어떻게 생각하나요?

성경의 초점

오늘의 성경 이야기로 들어가기 전에 우리가 말씀을 들으면서 마음속으로 계속 생각하게 되는 질문이 있지요! 무슨 질문인지 알고 있나요? 맞아요! **"하나님의 계획은 무엇인가요?"**예요. 지난 2~3주 동안에는 **하나님이 하나님의 백성을 이집트의 노예 생활에서 구하신 일**에 대해 배웠어요. 오늘의 성경 이야기에서 하나님은 또 무엇에 노예였던 이스라엘 백성을 구하실지 잘 들어 보세요.

성경 이야기

DVD 출애굽기 32장, 34장을 펴고, 설교 영상(지도자용 팩)을 보여 주거나 이야기 성경을 들려준다.

모세와 이스라엘 백성은 광야 사막에 있었어요. 하나님은 이스라엘 백성과 함께하셨고, 그들을 위한 계획을 갖고 계셨어요. **하나님의 계획은 무엇인가요? 하나님의 계획은 하나님의 백성을 노예 생활에서 구하시는 거예요.**

하나님의 백성은 이집트에서 재앙과 유월절을 통해 하나님의 은혜와 능력을 경험했어요. 그들은 하나님이 홍해에서 자신들을 놀라운 능력으로 이끄신 일을 경험했어요. 광야에서도 하나님은 이스라엘 백성과 함께하셔서 물이 필요할 때 마실 물을 주셨어요. 매일 아침에는 만나를, 매일 저녁에는 메추라기를 보내 주셨어요. 하나님은 그들에게 하나님이 여호와이신 것을 보이셨어요. 하나님은 자신이 '스스로 있는 자'이며 '주 여호와'라고 말씀하셨어요.

그러나 지도자인 모세가 하나님을 만나기 위해 떠난 뒤 돌아오지 않자 이스라엘 백성은 누구를 따라야 할지 몰라 혼란스러웠어요. 그래서 아론에게 금송아지를 만들게 하고 경배했어요. 하나님의 백성은 자제력을 잃고 말았지요. 그들은 금송아지 주위에서 춤을 추고 경배했어요. 하나님은 그들의 죄를 보시고 화가 나셨어요. 모세는 하나님께 이스라엘 백성을 용서해 달라고 기도했어요. 모세는 하나님 앞에 서서 이스라엘 백성의 중재자가 되었어요. 하나님은 그들을 멸망시키지는 않으셨지만 금송아지를 섬긴 사람들에게 굉장히 무서운 전염병을 보내셨답니다.

그러나 하나님은 계획을 갖고 계셨어요! **하나님의 계획은 무엇인가요? 하나님의 계획은 하나님의 백성을 노예 생활에서 구하시는 거예요.** 하나님은 단지 이스라엘 백성을 이집트의 노예에서 구하시는 것만이 아니라 죄의 노예로부터 영적으로도 구원해 주셨어요. 하나님은 아들이시며 더 위대한 중재자이신 예수님을 보내 주셨어요. 예수님은 십자가에서 우리의 죄를 사해 주셨고, 우리를 대신해 하나님 앞에 서 주셨어요. 그래서 예수님을 믿으면 우리의 죄는 모두 용서받을 수 있어요. 얼마나 좋은 소식인가요! 이 좋은 소식이 바로 '복음'이랍니다.

복음 초청

성경과 21쪽 복음 초청 가이드를 이용해서 아이들에게 그리스도인이 되는 법을 설명해 준다. 따로 상담해 줄 사람을 정해 주고 궁금한 점이 있으면 물어보도록 격려한다.

이 시간 예수님을 마음에 모시고 싶은 친구는 함께 기도해요.

기도

하나님, 하나님의 긍휼과 은혜에 감사합니다. 우리가 이스라엘 백성처럼 하나님이 아닌 다른 것들을 섬겼다는 것을 고백합니다. 그것은 죄입니다. 그러나 우리는 예수님을 믿음으로 예수님이 십자가에서 죽으시고 우리가 받아야 할 형벌을 대신 받으셔서 우리의 죄를 용서해 주신 것을 믿습니다. 예수님을 보내셔서 우리의 중재자로 서게 하신 아버지 하나님을 찬양합니다. 이 기쁜 소식을 듣게 해 주신 하나님, 감사합니다. 사랑합니다. 예수님의 이름으로 기도합니다. 아멘.

적용

TIP 설교 도입이나 적용으로 활용하거나 영상을 본 뒤 소그룹에서 풍성한 대화를 이어 갈 수 있습니다.

DVD 적용 예화 영상(지도자용 팩)을 보여 준다.

새뮤얼은 정말 어리석었어요. 새뮤얼이 진짜 게임을 할 수 있었을까요? 새뮤얼은 새 비디오 게임을 정말 하고 싶어서 스스로 게임을 만들어서 했어요. 그 게임은 정말 형편없었지요.

죄는 우리에게 어리석은 일을 하게 해요. 모세가 시내 산에 올라갔을 때 사람들은 하나님이 자신들을 떠나셨다고 생각했어요. 그래서 그들은 스스로 우상을 만들었지요. 그렇지만 그 우상은 아무 능력도 없었어요. 때로는 우리 역시 우상을 섬기기도 해요. '우상'이란 우리가 하나님보다 더 중요하게 여기는 어떤 것인데, 사람들은 다른 사람이나 자기 자신, 또는 자신이 가진 물건을 우상으로 만들어 경배하기도 해요. 이제부터 우리는 하나님보다 더 따르고 경배하는 우상을 버리고 하나님만을 섬기도록 해요!

가스펠 소그룹

(10~20분)

나침반

쉿! 조용조용!

준비물 1단원 암송(107쪽), 암송 구절 단어 카드 2세트

① 1단원 암송을 보며 다 함께 소리 내어 읽는다.

② 두 팀으로 나눈 뒤 각 팀에게 암송 구절 단어 카드를 한 세트씩 나누어 준다.

③ 인도자가 "시작!" 하면 조용조용하게 암송 말씀대로 카드의 순서를 빨리 맞추는 팀이 승리한다.

보물 지도

성경 찾기

준비물 성경, 숫자 1~6을 각각 적은 카드

① 아이들을 둥글게 앉힌 뒤 성경에서 출애굽기 32장을 펴게 한다.

② 아이들 중 한 명을 앞으로 나오게 해 숫자 카드를 뽑게 한 뒤 숫자에 해당되는 질문을 크게 읽게 한다. 나머지 아이들이 질문에 답하는 식으로 진행한다. 필요하다면 제시된 성경 본문을 참조해 아이들이 답하는 것을 도와준다.

1 이스라엘 백성은 왜 초조해졌나요?
   모세가 산에서 40일 동안 돌아오지 않아서 (출 32:1)

2 아론이 이스라엘 백성을 위해 만든 가짜 신은 무엇인가요?
   금송아지 (출 32:4)

3 하나님은 금송아지를 경배한 이스라엘 백성을 어떻게 벌하셨나요?
   끔찍한 전염병을 보내 치셨다 (출 32:35, 우리말성경)

4 하나님은 구름 가운데 임하셔서 무엇이라고 말씀하셨나요?
   여호와라 여호와라 자비롭고 은혜로운 노하기를 더디 하고 인자와 진실이 많은 하나님이라. … 그러나 벌을 없애 주지는 않을 것이다 (출 34:5~7)

5 모세는 이스라엘 백성을 대신해 하나님 앞에 섰어요. 이러한 역할을 하는 사람을 무엇이라고 부르나요?
   중재자 (출 32:11~14)

6 우리의 중재자(중보자)는 누구이신가요?
   예수님 (딤전 2:5)

— 오늘의 성경 이야기에서 하나님의 백성은 하나님께 죄를 지었어요. 이스라엘 백성은 모세가 산에 올라가 있는 동안 금송아지를 경배했어요. 금송아지를 경배하는 것이 왜 잘못일까요? (하나님만이 경배받으실 수 있는 분이세요.) 하나님 이외에 다른 것을 섬기는 것은 죄예요. 하나님이 금송아지를 경배한 이스라엘 백성을 벌하신 것처럼 하나님은 모든 죄를 벌하세요. 감사하게도 하나님은 십자가에서 죽으신 예수님이 우리의 죄를 가져가게 하셨어요. **하나님의 계획은 무엇인가요? 하나님의 계획은 하나님의 백성을 노예 생활에서 구하시는 거예요.** 특히 죄의 노예에서요! 우리가 예수님을 믿으면 우리의 죄는 용서받을 수 있어요. 이것이 바로 좋은 소식, '복음'이랍니다.

탐험하기

금송아지를 찾아라!

준비물 학생용 교재 20쪽, 연필

그림 속에 숨은 금송아지 20개를 찾아 ○표 하게 한다.

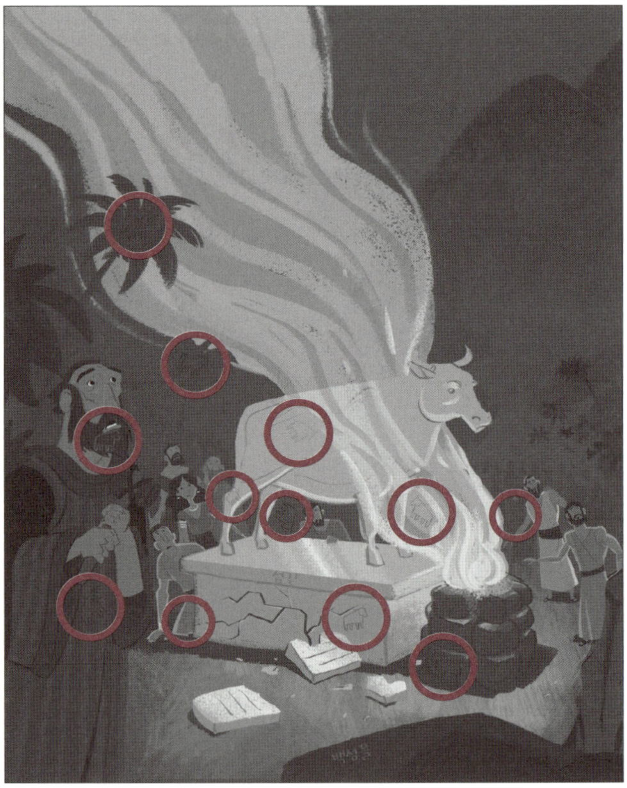

— 그림에서 금송아지를 찾기가 쉽지 않지요? 어떤 금송아지는 어두운 구석에 꽁꽁 숨겨져 있어서 잘 보이지도 않을 거예요. 우리의 죄도 그래요. 눈에 보이는 잘못도 있지만, 보이지 않는 마음 깊숙한 곳에도 우리가 알게 모르게 죄가 숨어 있어요. 하나님은 금송아지를 섬긴 이스라엘 백성의 죄를 벌하셨던 것처럼 우리의 숨겨진 죄도 벌하세요. 하지만 하나님은 우리의 죄를 벌하시는 것으로만 끝내지 않으세요. 하나님은 그 벌을 예수님이 십자가에서 대신 받게 하셨고, 우리에게는 우리의 죄를 고백하고 예수님을 믿어 죄를 용서받을 수 있는 기회를 주셨어요.

보인다, 보여!

준비물 학생용 교재 21쪽, 연필

그림에 숨겨진 어절을 모두 찾아 조합해 5과의 주제 문장을 완성해 보게 한다.

하나님은 금송아지를 섬긴
하나님의 백성을
벌하셨어요.

우상을 없애라 *

준비물 점토, 신문지

① 아이들에게 바닥에 까는 신문지와 주먹만한 크기의 점토를 나누어 주고, 금송아지 형상을 만들어 보게 한다.

② 아이들과 함께 금송아지와 같이 삶 속에서 하나님보다 더 사랑하는 우상이 있는지에 대해 이야기를 나누어 본다.

③ 각자 마음속에 떠오르는 우상과 함께 금송아지를 부수라고 한다.

④ 우상을 섬기던 죄를 하나님 앞에 고백하고, 우리의 죄를 십자가에서 없애 주신 예수님의 이름으로 용서를 구한 뒤 죄 사함을 받는 시간을 가진다.

— 우리에게는 우리의 중재자 되시는 예수님이 필요해요. 예수님은 우리의 죄를 위해 십자가에 달리셨고 우리를 대신해서 하나님 앞에 서셨어요. 우리가 예수님을 믿을 때 하나님은 우리의 죄를 용서해 주세요.

보물 상자

나만의 기록장

준비물 학생용 교재 22쪽, 연필

— 모든 사람이 하나님께 죄를 지었어요. 하나님은 우리를 벌하실 수 있는 분이세요. 우리는 우리의 죄로 죽어야 하지만 하나님은 우리를 사랑하셔서 아들이신 예수님을 중재자로 보내 주셨고, 우리를 대신해 벌하셨어요. 예수님을 믿으면 우리의 죄는 용서받을 수 있어요! 좋은 소식인 복음을 듣고 나니 어떤 생각이 드나요? 글로 표현해 보세요.

메시지 카드

이번 주 메시지 카드로 부모님과 함께 오늘 배운 성경 이야기를 나누어 보라고 한다.

기도

하나님, 중보자이신 예수님을 우리에게 보내 주셔서 정말 감사드립니다. 하지만 우리는 연약해서 매일 금송아지를 섬기며 살고 있습니다. 우리가 하나님만 유일한 진짜 신이심을 고백하며 우리의 금송아지를 무너뜨리며 살아갈 수 있도록 함께해 주세요. 예수님의 이름으로 기도합니다. 아멘.

2 단원 거룩하신 하나님

구원받은 이스라엘 백성은 약속의 땅으로 향했습니다. 하나님은 이스라엘 백성이 따라야 할 율법을 주셔서 어떻게 살아야 할지를 알려 주시고, 하나님의 거룩하심을 이해할 수 있도록 도우셨습니다. 또한 하나님은 예배를 위한 규칙을 알려 주셨습니다. 하나님의 율법은 이스라엘 백성에게 율법을 완전하게 지킬 수 있는 자는 아무도 없다는 것과 의로워지는 유일한 길은 예수 그리스도를 믿는 믿음을 통해서라는 것을 알려 주셨습니다.

십계명
"하나님을
사랑하라"

십계명
"이웃을
사랑하라"

성막을
지었어요

The Gospel Project

하나님이
제사의 규칙을
정해 주셨어요

오직
하나님만
예배해요

하나님의
언약을
기억해요

DVD 카운트다운 - 로봇

카운트다운 영상(지도자용 팩)을 틀고 예배 준비 자세를 취하도록 격려한다. 예배가 시작되는 시간에 영상이 끝나도록 맞추어 놓는다. 익숙해질 때까지 중간에 남은 시간을 알리는 것도 좋다.

예) "1분 전입니다", "30초 전입니다. 마음을 가다듬고 기도하며 하나님께 나아갑시다" 등.

DVD 무대 배경 - 아지트

무대를 나무 위 아지트의 내부처럼 꾸민다. 캠핑 의자와 손전등, 포스터, 망원경, 그리고 세 가지의 규칙을 적은 칠판이나 화이트보드를 준비한다. 화면에 아지트 배경 이미지(지도자용 팩)를 띄운다.

6

십계명 "하나님을 사랑하라"

출 19:1~20:11, 31:18

단원 암송

나는 너희의 하나님이 되려고
너희를 애굽 땅에서 인도하여 낸 여호와라
내가 거룩하니 너희도 거룩할지어다(레 11:45).

성경의 초점

누가 하나님의 법을 완전하게 지킬 수 있나요?
예수님 외에는 아무도 없어요.

본문 속으로

하나님은 이스라엘 백성을 이집트의 노예 생활에서 구하셨습니다. 그리고 그들을 시내 산으로 향하는 광야로 인도하셨습니다. 이스라엘 백성은 산 아래 장막을 쳤고, 모세는 하나님과 만나기 위해 산 위에 올라갔습니다. 하나님은 모세에게 이스라엘 백성이 순종해야 할 율법을 전해 주셨습니다. 그러면서 하나님은 아브라함, 이삭, 야곱, 그리고 모든 이스라엘과 맺은 언약을 새롭게 하셨습니다. 이스라엘은 하나님의 백성이 되고, 하나님은 그들의 하나님이 되셨습니다(출 19:5~6).

하나님은 이스라엘 백성의 완전한 순종을 원하셨습니다. 하나님의 율법은 그들의 삶의 모든 부분을 다루었고, 십계명으로 요약되었습니다. 하나님은 율법을 단지 지키기 위한 목적으로 주지 않으셨습니다. 하나님의 율법에는 목적이 있었습니다. 율법은 사람들에게 그리스도께서 그분의 왕국을 세우시면 어떠한 삶을 살게 될 것인지를 보여 주었습니다. 율법은 사람들이 얼마나 의롭게 살아야 하는지, 그리고 하나님과 이웃과 어떻게 소통해야 하는지를 알려 주었습니다.

십계명은 두 개의 범주로 나뉩니다. 전반부의 네 계명은 하나님과 사람의 관계를 다루고, 후반부 여섯 계명은 이웃과의 관계를 다룹니다. 단 열 개뿐이니 그 법을 지키기란 수월할 것만 같습니다. 그렇지만 이스라엘 백성은 그들이 단지 하나의 율법조차도 지킬 수 없다는 것을 증명했습니다. 그들의 마음은 죄로 가득 차 있었기 때문입니다.

모세는 이스라엘 백성의 중재자가 되어 이스라엘 백성의 죄를 사해 달라고 하나님께 구했습니다. 모세는 훌륭한 중재자였지만 완전하지는 못했습니다. 이스라엘 백성은 율법을 완전히 지키고, 하나님과 이스라엘 백성 사이를 중재해 줄 수 있으며, 그들을 향한 하나님의 분노를 감당할 수 있는 누군가를 필요로 했습니다. 그분은 바로 예수님이십니다(딤전 2:5).

●● 티칭 포인트

아이들도 죄 된 마음을 가지고 있습니다. 우리 모두는 하나님께 완전히 순종하지 못하며, 따라서 구세주가 필요하다는 사실을 알려 주십시오. 아이들에게 예수님을 소개하고, 예수님은 죄가 없으신 분이라고 말해 주십시오. 예수님 때문에 우리가 하나님과 올바른 관계를 맺을 수 있게 되었다는 사실도 가르쳐 주십시오.

주 제

하나님은 우리에게 규칙을 주셔서 하나님은 거룩하시고, 우리는 죄인이라는 것을 알게 하셨어요.

가스펠 링크

죄는 우리를 하나님으로부터 갈라놓았어요. 하지만 의로우신 예수님은 우리의 죄를 없애 주시고 우리를 다시 하나님께로 인도하셔서 예수님을 믿는 모든 사람을 하나님의 가족이 되게 하세요.

십계명 "하나님을 사랑하라" 출 19:1~20:11, 31:18

이스라엘 백성은 이집트를 떠난 지 3개월이 지난 뒤 시내 산에 도착했어요. 그들은 산 앞에 장막을 쳤어요. 하나님은 이스라엘 백성을 하나님의 특별한 백성으로 만들려는 계획을 갖고 계셨지요. 그래서 이스라엘 백성과 언약을 맺기 원하셨어요.

모세는 시내 산으로 올라갔어요. 하나님이 모세를 불러 말씀하셨어요. "너는 이스라엘 자손에게 이렇게 말하라. '너희는 내가 이집트 사람들에게 행한 일을 직접 보았고 독수리 날개로 업어 내게로 데려온 것을 보았다. 그러므로 이제 너희가 내게 완전히 순종하고 내 언약을 지키면 너희는 모든 민족 중에서 제사장 나라가 되며, 거룩한 내 백성이 될 것이다.'" 모세가 사람들에게 돌아가 하나님의 말씀을 전하자 모두 동의했어요. 그들은 다 함께 응답했어요. "여호와께서 말씀하신 대로 다 행하겠습니다."

모세는 하나님께로 돌아가서 백성의 말을 전해 드렸어요. 그러자 하나님은 "내가 빽빽한 구름 가운데서 네게 내려갈 것이다. 이는 이 백성이 내가 너와 말하는 것을 듣고 너를 영원히 믿게 하려는 것이다"라고 말씀하셨어요. 모세는 이스라엘 백성에게 하나님이 하신 말씀을 전했어요. 그리고 이스라엘 백성이 하나님의 임재를 기다리며 준비하게 했지요. 하나님은 백성들 주위에 경계선을 만들어서 아무도 산에 가까이 오지 못하게 하셨어요.

셋째 날 아침에 천둥, 번개가 치고 빽빽한 구름이 산 위를 덮은 가운데 우렁찬 나팔 소리가 울려 퍼졌어요. 장막에 있던 모든 백성이 벌벌 떨었지요. 모세는 하나님을 만나기 위해 백성을 진 밖으로 데리고 나와서 산기슭에 세웠어요. 시내 산은 온통 연기로 뒤덮였고, 하나님이 불 가운데서 그곳에 임하셨어요. 그리고 연기가 화로 연기처럼 위로 치솟고, 산 전체가 크게 흔들리며, 나팔 소리가 점점 크게 들렸어요. 하나님은 백성이 여호와를 보러 산에 올라오지 못하도록 경고하셨어요.

하나님은 "나는 노예 생활 하던 너를 이집트에서 인도해 낸 너의 하나님 여호와다"라고 말씀하시면서 모세에게 십계명을 주셨어요. 제1계명부터 제4계명까지 처음 네 계명들은 이스라엘 백성에게 하나님과 바른 관계를 맺는 방법에 대해 알려 주었어요. "너는 나 외에는 다른 신들을 네게 두지 말라", "너를 위하여 새긴 우상을 만들지 말고 … 섬기지 말라", "너는 네 하나님 여호와의 이름을 망령되게 부르지 말라", "안식일을 기억하여 거룩하게 지키라."

하나님은 시내 산에서 모세에게 말씀을 다 하신 뒤 십계명이 적힌 돌판을 주셨어요. 이것은 하나님이 친히 손가락으로 새기신 것이랍니다(출31:18, 우리말성경).

●● 가스펠 링크

하나님은 거룩하시고, 죄에서 구별된 분이세요. 하나님의 법은 우리에게 하나님이 요구하시는 것이 무엇인지 보여 주어요. 그것은 완전한 의로움이에요. 죄는 우리를 하나님으로부터 갈라놓았어요. 하지만 의로우신 예수님은 우리의 죄를 없애 주시고 우리를 다시 하나님께로 인도하셔서 예수님을 믿는 모든 사람을 하나님의 가족이 되게 하세요.

가스펠 준비

(10~20분)

환영

도착하는 아이들을 반갑게 맞이하고 헌금, 출석, QT 등을 확인하며 격려한다. 새 친구가 있다면 소개한다. 아이들에게 집이나 학교, 교회, 또는 방과 후 활동 장소에서 지켜야 하는 규칙이 있는지, 어떤 규칙이 가장 지키기 어려운지, 그 이유가 무엇인지 물은 뒤 이야기를 나눈다. 자발적으로 대화에 참여하도록 이끈다.

예) "가장 자주 지켜야 하는 규칙에는 어떤 것들이 있나요?", "어떤 규칙이 가장 지키기 어려운가요?", "왜 지키기 어려운가요?" 등.

마음 열기

나는 널 사랑해 *

준비물 의자(인원수보다 한 개 적게)

① 앉는 부분이 가운데를 향하도록 의자를 둥글게 배치한다.

② 아이들을 의자에 앉히고, 술래를 정해서 원 가운데 세운다.

③ 술래에게 "내 이름은 ○○○야. 나는 △△인 사람을 사랑해"라고 말하라고 설명한다.아이들의 옷차림이나 생김새 중 선택해서 말하면 된다.

예) "나는 안경을 낀 사람을 사랑해", "나는 청바지를 입은 사람을 사랑해" 등.

④ 술래가 말한 특징에 해당되는 아이들은 모두 자리에서 일어나 다른 빈자리에 앉아야 한다. 이때 술래도 재빨리 빈자리를 찾아 앉는다.

⑤ 자리에 앉지 못한 아이는 술래가 되고 게임을 계속한다.

— 오늘 우리는 하나님의 규칙에 대해 배우고, 그 규칙이 우리가 하나님을 사랑하도록 어떻게 돕는지에 대해 배울 거예요.

과녁 맞추기 *

준비물 콩 주머니 또는 고무지우개, 과녁, 컬러 테이프

① 아이들을 컬러 테이프로 표시해 둔 출발선 뒤에 둥글게 앉힌 뒤 일정한 거리를 두고 과녁을 바닥에 붙여 놓는다.

② 한 명씩 차례로 출발선에 서서 콩 주머니 또는 고무지우개를 과녁을 향해 던지게 한다.

③ 과녁의 정중앙에 가깝게 던질수록 점수가 높다.

— '죄'는 헬라어로 '하마르티아'(*hamartia*)인데, 그 뜻은 '과녁을 맞히지 못하다'라고 해요. 인간의 본성이 하나님의 기준에 닿지 못하고 부족하다는 뜻을 가진 히브리어 '하타'(죄)의 뜻과 가장 유사하지요. 과녁을 맞히는 게임에서 매번 과녁의 정중앙을 명중시킨 친구가 있나요? 없지요? 완벽한 사람은 아무도 없어요.

오늘의 성경 이야기에서 **하나님은 우리에게 규칙을 주셔서 하나님은 거룩하시고, 우리는 죄인이라는 것을 알게 하셨어요.** 이 말은 하나님은 완전하시지만 우리는 그렇지 않다는 것을 의미해요. 아무도 매번 과녁의 정중앙을 명중시킬 수 없듯이, 사람들은 하나님의 규칙을 항상 지킬 수 없어요. 우리는 죄인이기 때문이에요. 죄는 우리를 하나님으로부터 갈라놓았어요. 우리에게는 예수님이 필요해요. 예수님만이 완벽하시기 때문이지요. 예수님은 하나님께 완전히 순종하셨어요. 예수님을 믿으면 예수님이 우리를 다시 하나님께로 인도하세요.

가스펠 **설교**

(15~30분)

들어가기

준비물 화이트보드, 보드마커

편안한 복장으로 들어온다. 화이트보드에 '아지트'라고 쓰고 아래에 규칙 1, 2, 3을 적어 놓는다.

아지트에 오신 여러분을 환영합니다! 우리 아빠와 제가 주말 내내 이 아지트를 만들었어요. 혼자 있고 싶을 때 올 수 있는 저만의 장소랍니다. 그런데 이제 친구들을 이 아지트에 초대해서 게임도 하고, 책도 읽고, 만들기도 하려고 해요. 그런데 아빠가 아지트를 만드는 일을 허락하시면서 몇 가지 규칙을 주셨어요. 바로 이거예요!

규칙 1 : 아지트에서 혼자 있을 때 위험한 장난을 치지 않는다.

규칙 2 : 아지트에서 다 놀았으면 정리한다.

규칙 3 : 친구의 아지트를 부러워하지 않는다.

"친구의 아지트를 부러워하지 않는다"라니! 그럴 일은 없을 것 같아요. 여기서 제 아지트만큼 더 멋진 곳이 어디 있겠어요!

하나님도 이스라엘 백성에게 규칙을 주셨어요. 오늘의 성경 이야기에서 우리는 **하나님이 우리에게 규칙을 주셔서 하나님은 거룩하시고, 우리는 죄인이라는 것을 알게 하셨다**는 것을 배우게 될 거예요. 자, 함께 배워 볼까요?

연대표

우리가 어디쯤 왔는지 한번 볼까요? 연대표를 가리킨다. 우리는 여기 "십계명 '하나님을 사랑하라'"에 와 있어요. 오늘의 성경 이야기에서 하나님은 아브라함, 이삭, 그리고 야곱과 맺으셨던 언약을 이스라엘 백성과 새롭게 맺으셨어요. 하나님은 언약을 맺으셨고, 그 언약을 지키셨어요. 하나님이 언약을 맺으신 이유는 하나님의 백성에게 복을 주시기 위해서랍니다. 자, 그럼 오늘의 성경 이야기에서 하나님이 이스라엘 백성과 언약을 새롭게 하신 뒤 어떤 일이 일어났는지 알아보아요.

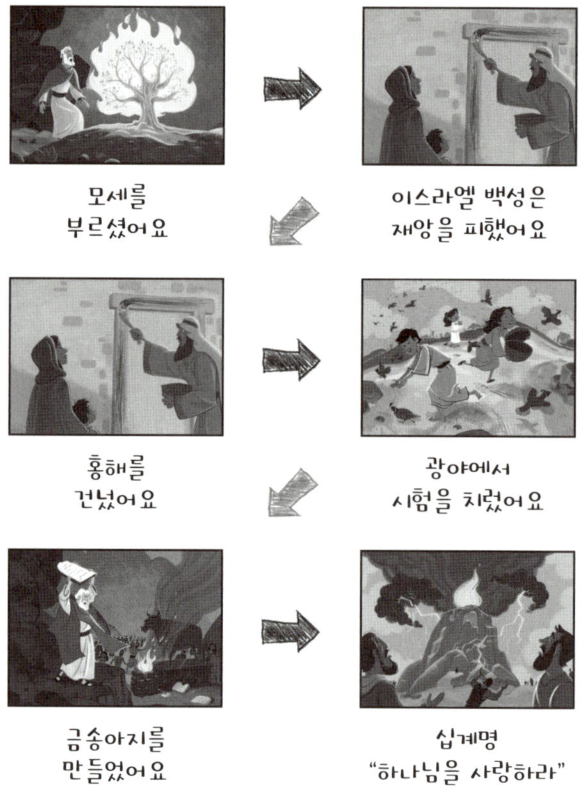

성경의 초점

이제부터 몇 주간 우리가 공부할 2단원의 '성경의 초점' 질문은 무엇일까요? **"누가 하나님의 법을 완전하게 지킬 수 있나요?"**예요. 질문의 답은 **"예수님 외에는 아무도 없어요"**랍니다. 오늘의 성경 이야기에서 하나님은 이스라엘 백성을 노예 생활에서 구하신 후에 그들이 하나님을 경배할 새로운 방법을 알려 주셨어요. 그 방법은 바로 하나님이 주신 규칙에 순종하며 사는 거예요. 그럼 오늘의 성경 이야기를 좀 더 들어 볼까요?

성경 이야기

DVD 출애굽기 19~20장, 31장을 펴고, 설교 영상(지도자용 팩)을 보여 주거나 이야기 성경을 들려준다.

누가 하나님의 법을 완전하게 지킬 수 있나요? 예수님 외에는 아무도 없어요. 하나님은 실제로 그렇게 하셨지요! 하나님은 이스라엘 백성을 이집트의 노예 생활에서 구하시고 나서 3개월 후에 그들을 시내 산으로 인도하셨어요.

복/습/질/문

1. 하나님은 모세를 통해 이스라엘 백성에게 무슨 말씀을 하셨나요?
   너희가 내게 완전히 순종하고 내 언약을 지키면 너희는 모든 민족 중에서 나의 소유가 될 것이다 (출 19:5)
2. 이스라엘 백성은 하나님의 말씀에 무엇이라고 답했나요?
   여호와께서 명령하신 대로 우리가 다 행하리이다 (출 19:8)
3. 하나님은 왜 하나님이 모세에게 말씀하시는 것을 이스라엘 백성이 듣기 원하셨나요?
   이스라엘 백성이 모세를 영영히 믿게 하기 위해서 (출 19:9)
4. 하나님은 모세에게 하나님의 임재로부터 이스라엘 백성을 어떻게 보호하라고 하셨나요?
   경계를 정하여 산에 오르거나 그 경계를 침범하지 않게 하라고 하셨다 (출 19:12)
5. 하나님은 시내 산에 어떻게 임하셨나요?
   연기가 자욱하고 불 가운데서 임하셨다 (출 19:18)

찬양

거룩하라

거룩하라
주가 말씀하셨네
거룩하라
주가 법을 주셨네

거룩하라
주가 명령하셨네
거룩하신
예수 다 이루셨네

거룩하라
내가 거룩하니 너희도
거룩하라
거룩하라

거룩하라
예수 믿음으로 너희도
거룩하라
거룩하라.

※지도자용 팩 또는 가스펠 프로젝트 홈페이지(gospelproject.co.kr)에서 이용하세요.

복음 초청

성경과 21쪽 복음 초청 가이드를 이용해서 아이들에게 그리스도인이 되는 법을 설명해 준다. 따로 상담해 줄 사람을 정해 주고 궁금한 점이 있으면 물어보도록 격려한다.

이 시간 예수님을 마음에 모시고 싶은 친구는 함께 기도해요.

기도

하나님, 하나님의 백성에게 하나님을 사랑하는 법을 가르쳐 주셔서 감사합니다. 하나님의 영광을 위해서, 그리고 우리를 사랑하셔서 십계명을 주셨음을 믿습니다. 하나님은 거룩하시지만 우리는 죄인입니다. 죄가 우리를 하나님으로부터 갈라놓았습니다. 완전히 의로우신 예수님을 보내 주셔서 우리의 죄를 가져가 주심에 감사드립니다. 예수님의 이름으로 기도합니다. 아멘.

적용

TIP 설교 도입이나 적용으로 활용하거나 영상을 본 뒤 소그룹에서 풍성한 대화를 이어 갈 수 있습니다.

하나님은 거룩하세요. 죄는 우리를 하나님으로부터 갈라놓았어요. 하나님은 죄와 함께하실 수 없거든요. 영상을 보며 더 생각해 보아요.

적용 예화 영상(지도자용 팩)을 보여 준다.

맛없는 음식을 맛있는 음식과 섞어 먹었더니 어떻게 되었나요? 맛없는 음식이 맛있는 음식마저 못 먹게 만들어 버렸지요! 우리가 좋은 행동을 아주 많이 한다고 해서 우리의 죄를 사라지게 할 수 있을까요? 성경은 우리가 아무리 노력해도 죄를 사라지게 할 수 없다고 말해요(사 64:6). 예수님만이 우리의 죄를 가져가 주시고 우리를 하나님께로 인도하실 수 있답니다.

가스펠 **소그룹**

(10~20분)

나침반

말씀 메아리

"나는 너희의 하나님이 되려고 너희를 애굽 땅에서 인도하여 낸 여호와라 내가 거룩하니 너희도 거룩할지어다" (레 11:45).

① 아이들을 2~3팀으로 나눈 뒤 가위바위보로 A, B, C 순서를 정한다.

② A팀이 암송 구절 단어나 구를 말하면 B팀과 C팀이 각각 뒤를 이어 메아리처럼 따라서 암송하게 한다.

③ 순서를 바꾸어 가며 같은 방법으로 여러 번 성경 구절을 암송한다.

TIP 메아리가 울려 퍼지듯이 소리를 점점 크게 하거나 점점 작게 하며 암송해도 좋다.

보물 지도

해요? 하지 말아요?

준비물 성경

성경에서 출애굽기 31장 18절을 편 뒤 함께 읽는다.

— 하나님은 시내 산에서 말씀을 마치시고 십계명을 적은 두 돌판을 모세에게 주셨어요. 십계명의 제1계명부터 제4계명까지 읽을 테니 잘 들어 보세요! 그리고 하나님이 무엇을 '하라'라는 명령인지, '하지 말라'라는 명령인지 생각하고 말해 보세요. "하나님이 이스라엘 백성에게 말씀하시기를…"

1. 너는 나 외에는 다른 신들을 네게 두지 말라 (출 20:3)
2. 너를 위하여 새긴 우상을 만들지 말고 … 섬기지 말라 (출 20:4)
3. 너는 네 하나님 여호와의 이름을 망령되게 부르지 말라 (출 20:7)
4. 안식일을 기억하여 거룩하게 지키라 (출 20:8)

— 하나님이 주신 십계명에는 목적이 있어요. **하나님은 우리에게 규칙을 주셔서 하나님은 거룩하시고, 우리는 죄인이라는 것을 알게 하셨어요.** 하나님의 법은 우리에게 하나님이 요구하시는 것이 무엇인지 보여 주어요. 그것은 완전한 의로움이에요. 죄는 우리를 하나님으로부터 갈라놓았어요. 하지만 의로우신 예수님은 우리의 죄를 없애 주시고 우리를 다시 하나님께로 인도하셔서 예수님을 믿는 모든 사람을 하나님의 가족이 되게 하세요.

찾아라! 주제 *

준비물 6과의 주제를 적은 종이, 주제 단어 카드

① 6과의 주제를 적은 종이를 보여 주면서 다 함께 큰 소리로 읽는다.

② 아이들을 2~3명씩 묶어 팀을 만든 뒤 각 팀에게 주제 단어 카드를 나누어 준다.

③ 인도자가 "시작!"을 외치면 카드를 알맞게 배열해 주제 문장을 완성하게 하고, 성공한 팀은 다 같이 자리에서 일어서게 한다.

④ 마지막 팀까지 다 일어나면 다시 한 번 다 함께 큰 소리로 주제를 읽는다.

— 모세는 신실한 종이었지만 모든 하나님의 법에 순종하지는 못했어요. 오직 하나님의 아들이신 예수님만이 하나님께 완전히 순종하셨지요. 우리는 우리의 죄로 인해 죽어야 했지만, 예수님이 우리를 대신해 죽으시고 살아나셔서 예수님을 믿는 사람은 누구나 하나님의 가족이 되게 하셨어요!

탐험하기

인간 컬러 복사기

준비물 학생용 교재 24쪽, 색연필이나 크레용, 연필

① 그림과 똑같이 아래에 그리고 색칠해 보게 한다.

② 완성된 그림을 서로 비교하면서 가장 비슷하게 그린 아이가 누구인지 이야기해 본다.

— 복사기처럼 완벽하게 똑같이 그린 친구가 있었나요? 우리는 어느 누구도 완벽할 수 없어요. 우리는 하나님이 우리를 위해 주신 규칙도 완벽하게 지킬 수 없지요. 왜냐하면 우리의 죄 때문이랍니다.

글자 뺄셈

준비물 학생용 교재 25쪽, 연필

그림이 설명하는 단어에서 글자를 빼서 답을 적은 뒤 연상되는 단어를 맞혀 보게 한다.

— 하나님은 이스라엘 백성에게 그들이 지켜야 할 열 가지 계명을 주셨어요. 하나님은 십계명을 통해 완전한 의로움이 필요하다는 것을 알려 주셨지요. 죄는 우리를 하나님으로부터 갈라놓았어요. 하지만 의로우신 예수님은 우리의

죄를 없애 주시고 우리를 다시 하나님께로 인도하셔서 예수님을 믿는 모든 사람을 하나님의 가족이 되게 하세요.

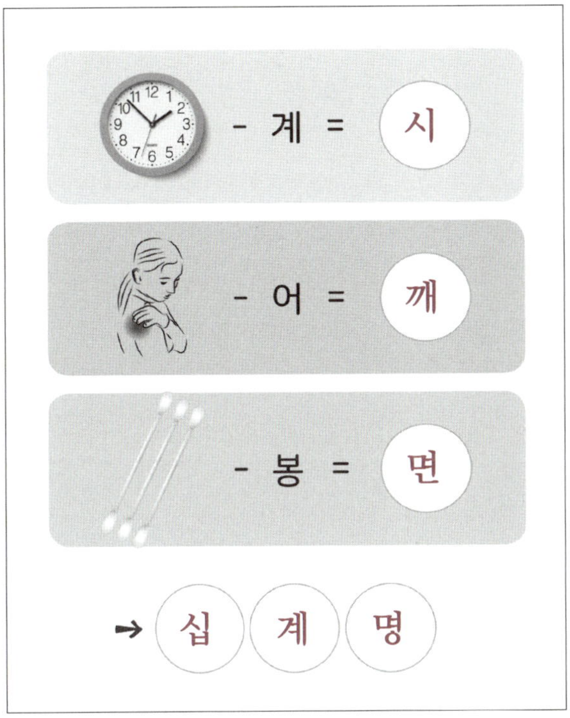

십계명 컵 경주 *

준비물 1~4까지 적은 종이컵, 종이공, 제1계명부터 제4계명까지 적은 종이

① 예배실 벽면에 제1계명부터 제4계명까지 적은 종이를 붙여 놓는다.

② 종이컵을 번호 순서대로 한 줄로 놓아 둔다(담는 부분이 위를 향하게 한다).

③ 아이들을 종이컵과 적정 거리에 그려 놓은 출발선 뒤로 한 줄로 세운 뒤 종이공을 하나씩 나누어 준다.

④ 맨 앞에 선 아이에게 제1계명을 말한 뒤 종이공을 1번 컵에 던져 넣으라고 한다. 성공하면 제2계명을 말하고 종이공을 2번 컵에 던져 넣게 한다. 실패하면 줄 끝에 세우고 다음 아이에게 차례를 넘긴다.

⑤ 아이들에게 처음 네 계명은 이스라엘 백성이 어떻게 하나님과 올바른 관계를 가질 수 있는지에 대한 내용이라는 점을 상기시킨다.

— **하나님은 우리에게 규칙을 주셔서 하나님은 거룩하시고, 우리는 죄인이라는 것을 알게 하셨어요.** 우리는 하나님의 규칙에 완전히 순종할 수 없어요. 예수님으로 인해 우리는 하나님과 깨어졌던 관계를 다시 바르게 가질 수 있게 되었어요.

보물 상자

나만의 기록장

준비물 학생용 교재 26쪽, 연필, 성경

① 성경에서 출애굽기 19장 16~19절을 펴서 다 같이 읽고, 이스라엘 백성이 산에서 두려움에 떨었다는 것을 기억하게 한다.

② 아이들에게 자신이 잘하는 것들의 목록을 그림이나 글로 표현해 보게 한다. 그중에서 특히 완벽하게 할 수 있다고 생각하는 것에 ○표 하게 한다.

③ 하나님의 규칙을 완전하게 지킬 수 있는 사람이 있을지에 대해 아이들과 함께 이야기를 나눈다.

④ 십계명 중에 지키기 어려운 계명을 적고, 지키지 못한 죄를 용서해 주신 예수님께 감사하는 마음을 글로 적어 보게 해도 좋다.

— 하나님이 우리에게 주신 규칙을 완전히 지키는 것은 불가능해요. 하나님은 거룩하시지만 우리는 죄인이에요. 하나님의 법은 우리에게 하나님이 요구하시는 것이 무엇인지 보여 주어요. 완전한 의로움이지요. 죄는 우리를 하나님으로부터 갈라놓았어요. 하지만 의로우신 예수님은 우리의 죄를 없애 주시고 우리를 다시 하나님께로 인도하셔서 예수님을 믿는 모든 사람을 하나님의 가족이 되게 하세요.

메시지 카드

이번 주 메시지 카드로 부모님과 함께 오늘 배운 성경 이야기를 나누어 보라고 한다.

기도

하나님, 우리에게 규칙을 주셔서 감사합니다. 하지만 우리는 너무도 연약해 하나님의 규칙을 지킬 수 없습니다. 우리는 죄인임을 고백합니다. 그런 우리의 죄를 용서하시기 위해 예수님을 보내 주셔서 감사합니다. 오직 하나님만 예배하며 하나님을 온전히 사랑할 수 있도록 도와주세요. 예수님의 이름으로 기도합니다. 아멘.

7

십계명 “이웃을 사랑하라”

출 20:12~17

단원 암송

나는 너희의 하나님이 되려고
너희를 애굽 땅에서 인도하여 낸 여호와라
내가 거룩하니 너희도 거룩할지어다(레 11:45).

성경의 초점

누가 하나님의 법을 완전하게 지킬 수 있나요?
예수님 외에는 아무도 없어요.

본문 속으로

출애굽한 이스라엘 백성이 약속의 땅으로 향하는 동안 하나님은 그들에게 율법을 주셔서 어떻게 살아야 할지 알려 주셨고, 이스라엘 백성이 하나님의 거룩하심을 이해할 수 있게 하셨습니다. 하나님의 율법은 삶의 모든 영역을 포함하며, 그 내용은 십계명에 요약되어 있습니다.

십계명은 두 개의 범주로 나뉩니다. 전반부의 네 계명은 하나님과 사람의 관계를 다루고, 후반부 여섯 계명은 이웃과의 관계를 다룹니다. 예수님은 "네 마음을 다하고 목숨을 다하고 뜻을 다하여 주 너의 하나님을 사랑하라 하셨으니 이것이 크고 첫째 되는 계명이요 둘째도 그와 같으니 네 이웃을 네 자신같이 사랑하라 하셨으니 이 두 계명이 온 율법과 선지자의 강령이니라"(마 22:37~40)라고 말씀하셨습니다.

그러나 이 율법은 사람들이 지킬 수 있는 법이 아닙니다. 하나님은 지키기 위한 법을 주지 않으셨습니다. 율법은 목적을 가지고 있었습니다. 율법은 의로운 삶이 어떤 것인지를 이스라엘 백성에게 보여 주었습니다. 또한 '모세 언약'으로 알려진, 하나님이 이스라엘에게 주신 하나의 언약이었습니다(출 19:3~8).

하나님은 아브라함에게 땅에 있는 모든 족속이 그를 통해 복을 받게 될 것이라고 말씀하셨습니다(창 12:3). "아브라함이 하나님을 믿으매 그것이 그에게 의로 여겨진 바 되었느니라"(롬 4:3). 아브라함에게 주신 하나님의 약속은 예수님을 통해 성취되었습니다. 그러나 하나님은 율법을 주셔서 예수님이 오시기 전까지 사람들을 인도하셨습니다.

● ● 티칭 포인트

아이들에게 십계명을 가르칠 때는 하나님의 마음에 들기 위해 꼭 지켜야 하는 규칙으로 여겨지지 않도록 주의하십시오. 하나님의 법은 선하며, 우리를 돕기 위한 법이라는 사실을 알려 주십시오. 성경은 우리 모두가 죄를 지어 하나님의 거룩한 기준에 미치지 못하며, 율법을 지키는 순종은 우리를 구원해 줄 수 없지만 예수님이 우리를 구원하기 위해 오셨다고 말합니다.

주 제

하나님은 우리에게 규칙을 주셔서 하나님과 이웃을 사랑하는 법을 가르쳐 주셨어요.

가스펠 링크

예수님은 우리가 죄로 인해 받아야 할 형벌을 대신 받으셨어요. 예수님을 믿는 사람은 누구든지 죄를 용서받고 영원한 생명을 얻어요.

십계명 "이웃을 사랑하라" 출 20:12~17

모세와 이스라엘 백성은 광야에 이르러 시내 산 앞에 장막을 쳤어요. 하나님이 이집트에서 이스라엘 백성을 구해 내신 후 3개월이 지났을 때였지요. 하나님은 이스라엘 백성을 하나님의 특별한 백성으로 만들 계획을 갖고 계셨고, 그들과 언약을 맺으셨어요. '언약'이란 '약속'이라는 뜻이에요.

하나님은 "너희가 내게 완전히 순종하고 내 언약을 지키면 너희는 모든 민족 중에서 나의 소중한 백성이 될 것이다"라고 말씀하셨어요. 이스라엘 백성은 하나님이 말씀하신 대로 다 행하겠다고 대답했지요.

모세는 시내 산으로 올라갔고, 하나님은 그곳에서 불 가운데 임하셨어요. 연기가 온 산을 덮었고, 천둥, 번개가 치고, 빽빽한 구름이 산을 덮고 있었지요. 산 전체가 크게 흔들리고 커다란 나팔 소리가 들렸어요. 하나님은 사람들이 여호와를 보러 산에 올라오지 못하게 하셨어요.

하나님이 말씀하셨어요. "나는 노예 생활 하던 너를 이집트에서 인도해 낸 너의 하나님 여호와다." 그리고 모세에게 십계명을 주셨지요. 십계명 후반부의 여섯 계명은 이스라엘 백성이 이웃과 서로 어떤 관계를 맺어야 하는지에 대해 말해 주고 있어요. "네 부모를 공경하라", "살인하지 말라", "간음하지 말라"(결혼의 약속을 지켜라), "도둑질하지 말라", "네 이웃에 대하여 거짓 증거하지 말라", "네 이웃의 집을 탐내지 말라."

이스라엘 백성은 천둥과 번개를 보고 나팔 소리를 들으며 산에 자욱한 연기를 보고는 두려워 벌벌 떨며 모세에게 말했어요. "당신이 우리에게 말해 주십시오. 하나님이 우리에게 직접 말씀하시면 우리는 죽게 될 것입니다." 그러자 모세는 "두려워하지 마십시오. 하나님이 여러분을 시험하려고 오신 것입니다. 여러분에게 하나님을 경외하는 마음이 있게 해 죄를 짓지 않게 하시려는 것입니다"라고 말했어요.

이스라엘 백성은 멀리 서 있고 모세는 하나님이 계신 깜깜한 어둠에 가까이 갔어요. 모세는 산 위에서 40일을 머물렀어요. 하나님은 모세에게 더 많은 하나님의 법을 가르쳐 주셨어요. 하나님은 시내 산 위에서 모세에게 말씀하시기를 마치고 하나님의 법과 계명을 친히 손가락으로 새기신 돌판을 주셨어요(출31:18, 우리말성경).

●● 가스펠 링크

하나님의 법은 하나님이 요구하시는 것이 무엇인지 보여 주어요. 그것은 완전한 의로움이에요. 모든 사람은 하나님과 서로에게 죄를 지었어요. 하나님은 아들이신 예수님을 보내셔서 우리가 할 수 없는 완전한 삶을 살게 하시고, 우리가 죄로 인해 받아야 할 형벌을 대신 받게 하셨어요. 예수님을 믿는 사람은 누구든지 죄를 용서받고 영원한 생명을 얻어요.

가스펠 **준비**
(10~20분)

환영

도착하는 아이들을 반갑게 맞이하고 헌금, 출석, QT 등을 확인하며 격려한다. 새 친구가 있다면 소개한다. 아이들을 둥글게 앉힌 뒤 편안한 분위기에서 안부를 물으며 오늘의 말씀과 관련된 화제로 이야기를 나눈다. 아이들에게 두 번째로 좋아하는 것들에 대해 질문하고 함께 이야기를 나눈다. 자발적으로 대화에 참여하도록 이끈다.

예) "두 번째로 좋아하는 아이스크림 맛은 무엇인가요?", "두 번째로 좋아하는 과목은요?" 등.

— 예수님은 가장 중요한 첫째 계명이 무엇인지 우리에게 알려 주셨어요. "네 마음을 다하고 목숨을 다하고 뜻을 다하여 주 너의 하나님을 사랑하라"(마 22:37). 여러분은 예수님이 주신 둘째 계명이 무엇인지 알고 있나요? 예수님은 둘째 계명이 "네 이웃을 네 자신같이 사랑하라"(마 22:39)라고 말씀해 주셨어요.

마음 열기

참 계명? 거짓 계명? *

아이들에게 인도자가 하는 말을 잘 듣고, 십계명에 해당하는 내용이면(○) 엄지손가락을 들고, 해당되지 않으면(X) 엄지손가락을 내리라고 말한다.

1. 너는 나 외에는 다른 신들을 네게 두지 말라. ○ (출 20:3)
2. 길을 혼자 건너지 말라. X
3. 너를 위하여 새긴 우상을 만들지 말고 … 섬기지 말라. ○ (출 20:4~5)
4. 매일 자기 전에 이를 닦아라. X
5. 네 부모를 공경하라. ○ (출 20:12)
6. 너의 장난감을 버리지 말라. X
7. 너는 네 하나님 여호와의 이름을 망령되게 부르지 말라. ○ (출 20:7)
8. 아침에는 침대를 정리하라. X
9. 안식일을 기억하여 거룩하게 지키라. ○ (출 20:8)

— 여러분은 하나님이 왜 이런 규칙을 주셨다고 생각하나요? **하나님은 우리에게 규칙을 주셔서 하나님과 이웃을 사랑하는 법을 가르쳐 주셨어요.**

꼬인 손을 풀어라 *

① 10명 이하의 아이들로 팀을 만든 뒤 둥글게 세운다.
② 오른손으로 친구의 왼손을 잡되, 바로 옆에 있는 아이가 아니라 다른 아이의 손을 잡게 한다.
③ 아이들에게 손을 놓지 않고 대형을 풀라고 말해 준다. 꼬인 대형을 풀기 위해서는 많은 대화가 필요하다는 것을 알려 준다.

— 정말 잘했어요! 서로 대화를 하면서 꼬인 대형을 풀었네요. 오늘 우리가 배울 여섯 계명은 우리가 어떻게 서로 대화를 잘 나눌 수 있는지에 대한 계명들이에요. **하나님은 우리에게 규칙을 주셔서 하나님과 이웃을 사랑하는 법을 가르쳐 주셨어요.**

가스펠 설교
(15~30분)

들어가기

준비물 **화이트보드, 보드마커**

편안한 복장으로 들어온다. 화이트보드에 '아지트'라고 쓰고 아래에 규칙 1, 2, 3을 적어 놓는다.

아지트에 다시 오신 여러분을 환영합니다! 전 제 아지트가 정말 마음에 들어요! 이제 친구들을 이 아지트에 초대해서 게임도 하고, 책도 읽고, 만들기도 하려고 해요. 아빠가 아지트를 사용하는 규칙을 몇 가지 정해 주시긴 했지만, 이곳은 제 공간이기 때문에 저만의 규칙도 몇 가지 있어야 할 것 같아요. 그렇죠? 그래서 여기 제가 생각해 본 규칙이 있어요.

규칙 1 : 동생 출입 금지

규칙 2 : 식사 금지

규칙 3 : 어두워지면 손전등을 가져올 것

세 번째 규칙은 안전을 위한 거예요. 어때요? 괜찮은 규칙인가요? 다른 규칙들도 필요할 것 같은데요, 혹시 이 규칙들 외에 추가할 규칙이 있을까요? 아이들의 대답을 기다린다. 아이들이 말한 규칙들을 화이트보드에 적는다. 멋져요! 전보다 훨씬 나아진 것 같아요. 고마워요, 여러분!

연대표

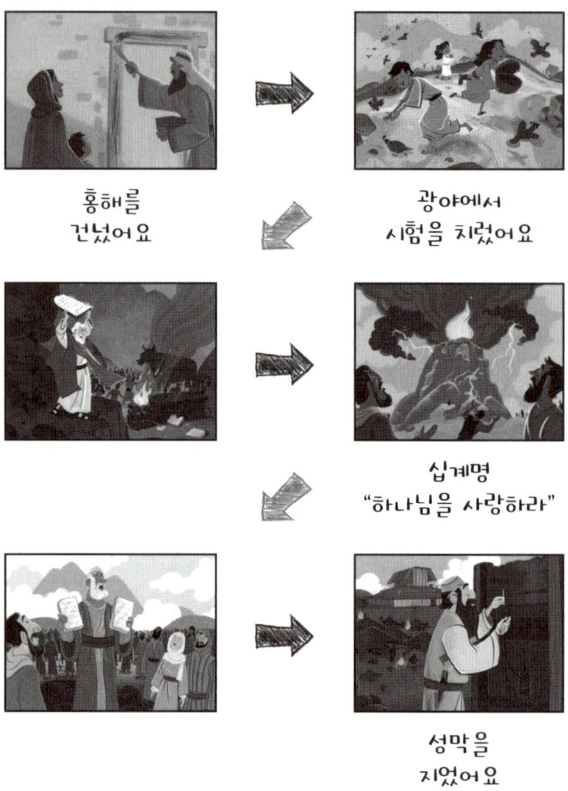

우리는 연대표의 여기에 와 있어요. 연대표를 가리킨다. 이스라엘 백성이 이집트의 노예 생활에서 풀려난 지 3개월 정도가 지났어요. 이스라엘 백성은 광야로 향했고, 모세는 시내 산 위로 올라갔어요. 하나님은 모세에게 십계명을 주셨어요. 여러분 중에 십계명의 내용을 모두 아는 친구가 있나요?

성경의 초점

오늘의 성경 이야기는 규칙에 대한 이야기예요. 그런데 어디서나 볼 수 있는 규칙이 아니라 '십계명'이라고 불리는 열 가지의 특별한 규칙이지요. 하나님은 하나님의 거룩함을 기준으로 사람들에게 이 규칙을 주셨어요. 이 말은 십계명이 하나님의 완전한 성품을 보여 주는 유리창과 같다는 뜻이에요. 십계명은 하나님이 누구이신지, 중요하게 여기시는 것이 무엇인지, 그리고 어떻게 하나님을 경배할 수 있는지 알려 주어요.

하나님은 거룩하세요. '하나님은 거룩하시다'라는 말은 하나님은 우리와 완벽하게 다른 분이시라는 뜻이에요. 하나님은 결코 잘못된 행동을 하지 않으세요. 하나님은 항상 진실만을 말씀하시며, 항상 선하세요.

여러분은 규칙을 얼마나 잘 지키나요? 여러분 중에 규칙을 어겨 본 친구가 있나요? 어쩌면 여러분은 규칙을 여러 번 어겼을 수도 있어요! 저도 그러했거든요. 2단원의 '성경의 초점' 질문은 **"누가 하나님의 법을 완전하게 지킬 수 있나요?"**예요. 답을 아는 친구가 있나요? (아무도 없어요.) 맞아요, 아무도 지킬 수 없어요. 정확하게 말하자면 한 사람만 빼고요! 질문의 답은 **"예수님 외에는 아무도 없어요"**랍니다.

성경 이야기

DVD 출애굽기 20장을 펴고, 설교 영상(지도자용 팩)을 보여 주거나 이야기 성경을 들려준다.

복/습/질/문

성경 이야기를 얼마나 기억하고 있는지 알아볼까요? 답을 아는 친구는 손을 들어 주세요.

1 하나님이 시내 산에 임하셨을 때 모세가 보고 들은 것은 무엇인가요?

하나님이 불 가운데서 임하셨고, 산에 연기가 자욱했으며, 산이 크게 진동하고, 나팔 소리가 점점 크게 들렸다 (출 19:18~19)

2 우리는 부모님을 어떻게 해야 하나요?

공경해야 한다 (출 20:12)

3 하나님은 결혼의 약속을 어떻게 하라고 하셨나요?

지키라고 하셨다 (출 20:14)

4 거짓말을 해도 되나요?

안 된다 (출 20:16)

5 이웃의 물건을 탐내는 것은 괜찮나요?

안 된다 (출 20:17)

6 모세는 시내 산 위에 얼마 동안 머물렀나요?

40일 (출 24:18)

7 하나님은 십계명을 돌판 위에 어떻게 쓰셨나요?

친히 손가락으로 새기셨다 (출 31:18, 우리말성경)

8 누가 하나님의 법을 완전하게 지킬 수 있나요?

예수님 외에는 아무도 없어요.

복음 초청

성경과 21쪽 복음 초청 가이드를 이용해서 아이들에게 그리스도인이 되는 법을 설명해 준다. 따로 상담해 줄 사람을 정해 주고 궁금한 점이 있으면 물어보도록 격려한다.

이 시간 예수님을 마음에 모시고 싶은 친구는 함께 기도해요.

기도

사랑하는 하나님, 예수님을 보내 주시고 우리를 위해 죽기까지 순종하게 해 주셔서 감사합니다. 우리가 구원을 주시는 하나님을 믿고, 사랑으로 하나님께 순종할 수 있도록 도와주세요. 예수님의 이름으로 기도합니다. 아멘.

적용

TIP 설교 도입이나 적용으로 활용하거나 영상을 본 뒤 소그룹에서 풍성한 대화를 이어 갈 수 있습니다.

DVD 적용 예화 영상(지도자용 팩)을 보여 준다.

규칙이 윌과 넬을 도와주었나요? 하나님은 우리에게 규칙을 주셔서 하나님을 위해 어떻게 살아야 할지를 알려 주셨어요. 규칙을 지키기 어려운 적이 있었나요? 우리는 왜 부모님과 선생님이 정해 주신 규칙을 지켜야 할까요? 우리는 하나님이 우리에게 보내 주신 권위자에게 순종해야 해요. 하나님이 먼저 우리에게 하나님의 큰 사랑을 보여 주셨기 때문에 우리도 하나님을 기쁘시게 해야 해요.

가스펠 소그룹

(10~20분)

나침반

말씀 릴레이

준비물 성경, 십계명 돌판 모양으로 자른 종이, 사인펜, 컬러 테이프

① 아이들에게 성경에서 레위기 11장 45절을 펴서 읽게 한다.

② 아이들을 예배실 한쪽에 컬러 테이프를 이용해 그려 놓은 출발선 뒤로 한 줄로 세운다.

③ 돌판 모양의 종이를 아이들 건너편 벽면에 붙인다.

④ 인도자가 "출발!"을 외치면 한 명씩 돌판으로 달려가 암송 구절의 한 단어씩 쓰고 돌아오는 방식으로 게임이 진행된다고 말해 준다.

⑤ 아이들이 암송 구절을 다 쓸 때까지 릴레이를 계속한다. 시간 여유가 있다면 게임을 계속한다.

보물 지도

멋진 목소리로 성경을 읽어요! *

준비물 성경

아이들에게 성경에서 마태복음 22장 36~40절을 펴게 한 뒤 자원하는 아이에게 읽게 한다.

— **하나님은 우리에게 규칙을 주셔서 하나님과 이웃을 사랑하는 법을 가르쳐 주셨어요.** 예수님은 모든 하나님의 법과 예언이 두 가지 계명으로 요약될 수 있다고 말씀하셨어요. "네 마음을 다하고 목숨을 다하고 뜻을 다하여 주 너의 하나님을 사랑하라"(마 22:37), "네 이웃을 네 자신같이 사랑하라"(마 22:39).

우리가 하나님을 마음과 목숨과 뜻을 다해 사랑한다면 하나님의 법을 따르는 거예요. 예를 들어, 우리는 하나님의 이름을 함부로 사용하지 않을 수 있어요. 또한 하나님을 사랑하는 마음으로 부모님께 기쁘게 순종할 수 있어요. 이처럼 이웃을 자기 자신같이 사랑한다면 우리는 이웃에게 잘해 줄 거예요. 거짓말을 하거나 이웃의 물건을 탐내지 않고 존경과 배려를 가지고 대할 거예요.

문제는 우리는 모두 죄인이고, 우리 스스로는 하나님의 모든 법을 지킬 수 없다는 데 있어요. 우리가 예수님을 믿으면 하나님은 우리를 바꾸어 주셔서 거룩한 삶을 살고 하나님의 계명을 지킬 수 있도록 도와주세요.

알쏭달쏭 첫째 계명? 둘째 계명? *

준비물 성경, 색인 카드, 사인펜

① 카드 두 장에 '하나님 사랑', '이웃 사랑'을 각각 적는다.

② 다음 성경 구절을 각각의 색인 카드에 쓰고 섞은 다음 아이들에게 한 장씩 나누어 준다.

출애굽기 20장 3절 / 출애굽기 20장 4절 / 출애굽기 20장 7절 / 출애굽기 20장 8절 / 출애굽기 20장 12절 / 출애굽기 20장 13절 / 출애굽기 20장 14절 / 출애굽기 20장 15절 / 출애굽기 20장 16절 / 출애굽기 20장 17절

③ 아이들에게 성경에서 카드에 적힌 성경 구절을 찾아보라고 말한다. 자신이 가진 카드에 적힌 성경 구절이 '하나님 사랑'에 대한 계명이면 '하나님 사랑' 카드 아래에, '이웃 사랑'에 대한 계명이면 '이웃 사랑' 카드 아래에 카드를 놓게 한다. 카드를 놓을 때 성경 순서대로(십계명 순서대로) 놓도록 도전하는 것도 좋다.

정답 : '하나님 사랑'(출 20:3~8), '이웃 사랑'(출 20:12~17)

④ 카드를 섞은 뒤 게임을 다시 진행한다.

— '하나님 사랑' 카드에 해당하는 계명의 공통점은 무엇이었나요? '이웃 사랑' 카드에는요? 아이들의 대답을 기다린다. **하나님은 우리에게 규칙을 주셔서 하나님과 이웃을 사랑하는 법을 가르쳐 주셨어요.**

탐험하기

계명 뒤에 하나님의 속뜻

DVD 준비물 학생용 교재 28쪽, 십계명 부록(109쪽 또는 지도자용 팩), 연필

① 아이들에게 출애굽기 20장 1~17절이 적힌 포스터를 보여 주거나 화면에 띄워 놓고 다 함께 읽어 본다.

② 아이들에게 십계명을 자기 말로 쓰고, 왜 그렇게 썼는지, 하나님이 왜 이런 계명을 주셨다고 생각하는지 설명하게 한다.

— 하나님은 이스라엘 백성에게 십계명을 주셔서 그들이 하나님의 거룩하심을 더 잘 이해할 수 있게 하셨어요. 하나님이 누구이신지, 그리고 하나님의 백성으로서 어떻게 살아야 하는지 알려 주셔서 하나님께 바르게 예배드릴 수 있게 하시기 위해서예요. **하나님은 우리에게 규칙을 주셔서 하나님과 이웃을 사랑하는 법을 가르쳐 주셨어요.**

아닌 것 같은데?

준비물 학생용 교재 29쪽, 연필, 성경

① 돌판에 적힌 계명들을 읽어 보고, 계명이 아닌 것을 찾아 줄을 그어 지우라고 한다.

② 성경에서 출애굽기 20장 1~17절을 펴서 읽으며 확인하게 한다.

③ 돌판에 없는 계명들을 찾아 빈칸에 적어 보게 한다.

너를 위하여 새긴 우상을 만들지 말고 … 섬기지 말라, 안식일을 기억하여 거룩하게 지키라, 간음하지 말라, 네 이웃에 대하여 거짓 증거하지 말라

— 한눈에 십계명이 아닌 것을 고르는 것이 쉬웠나요, 어려웠나요? 그렇다면 빠진 십계명을 채워 넣는 것은요? 우리가 매일매일 하나님의 계명에 완전히 순종하는 것은 어떤가요? 쉽지 않을 거예요. 사실 하나님의 법을 완전하게 지킬 수 있는 사람은 아무도 없어요. 그럼 **누가 하나님의 법을 완전하게 지킬 수 있나요? 예수님 외에는 아무도 없어요.**

용서해 주세요, 예수님 *

준비물 십자가 모양을 그린 종이, 빨간 사인펜, 연필

하나님과 나 사이를 갈라놓는 죄들을 십자가에 적은 뒤 빨간 사인펜으로 칠해 덮게 한다.

— 여러분이 적은 죄 중에 십계명에 위반되는 죄는 어떤 것들인가요? 우리 중 하나님의 계명에 완전히 순종할 수 있어서 이 십자가에 적을 것이 없는 사람이 있나요? 없어요. 우리는 죄인이어서 하나님이 하나님과 이웃을 사랑하라고 주신 계명을 완전히 지키지 못해요. 그래서 우리는 예수님이 필요해요. 예수님만이 하나님과 우리 사이를 갈라놓은 죄를 용서해 주실 수 있어요.

보물을 찾아라 *

준비물 색종이, 펜

① 십계명에 해당하는 내용들과 십계명에 해당하지 않는 내용들을 색종이 여러 장에 각각 적어 예배실 곳곳에 숨겨 둔다.

② 인도자가 "시작!"을 외치면 십계명이 적힌 색종이를 찾으라고 한다.

— **하나님은 우리에게 규칙을 주셔서 하나님과 이웃을 사랑하는 법을 가르쳐 주셨어요.** 하나님이 십계명을 주신 이유는 규칙을 지키지 못하는 사람들보다 낫게 보이거나 으쓱해지게 하시려는 것이 아니에요. 우리는 하나님이 우리에게 주신 규칙에 순종하면서 하나님께 우리가 그분을 얼마나 사랑하는지 보여 드릴 수 있어요. 하나님이 우리를 먼저 사랑하셨기 때문에 우리는 하나님의 규칙에 사랑으로 순종할 수 있어요. 하나님은 아무도 모든 계명에 완전히 순종하지 못할 것이라는 사실을 알고 계셨어요. 그래서 아들이신 예수님을 이 땅에 보내셨지요. 예수님은 우리는 결코 하지 못할 완전한 삶을 사셨고, 우리를 살리시기 위해 십자가에서 죽으셨어요. 우리가 예수님을 믿으면 일어나는 일들이 있어요. 성령님이 우리가 하나님의 규칙에 순종해 하나님을 사랑하도록 도와주세요.

보물 상자

나만의 기록장

준비물 학생용 교재 30쪽, 연필

① 십계명 중에 지키기 어려운 계명이 있다면 적어 보게 한다.

② 아이들이 순종하지 못했던 계명에 대해 하나님의 용서를 구하도록 돕는다.

— 우리가 하나님께 순종하는 이유는 우리가 다른 사람보다 낫게 보이거나 으쓱해지기 위해서가 아니에요. 우리가 하나님께 순종하는 이유는 하나님이 경배와 순종을 받기에 합당한 분이시기 때문이지요. 하나님은 거룩하시고 경배를 받으실 수 있는 유일한 분이세요. **하나님은 우리에게 규칙을 주셔서 하나님과 이웃을 사랑하는 법을 가르쳐 주셨어요.**

메시지 카드

이번 주 메시지 카드로 부모님과 함께 오늘 배운 성경 이야기를 나누어 보라고 한다.

기도

하나님, 우리가 하나님의 뜻대로 하나님을 사랑하고 서로 사랑하기를 원합니다. 하나님의 법을 지키지 못하고 죄를 지은 우리를 구원하시기 위해 예수님을 보내 주신 하나님을 찬양합니다. 예수님을 구주로 영접한 우리가 온전한 삶을 살게 해 주셔서 감사합니다. 예수님의 이름으로 기도합니다. 아멘.

8

성막을 지었어요

출 35:4~40:38

단원 암송

나는 너희의 하나님이 되려고
너희를 애굽 땅에서 인도하여 낸 여호와라
내가 거룩하니 너희도 거룩할지어다(레 11:45).

성경의 초점

누가 하나님의 법을 완전하게 지킬 수 있나요?
예수님 외에는 아무도 없어요.

본문 속으로

출애굽기의 마지막 열여섯 장은 성막 건축에 대한 하나님의 지시를 기록하고 있습니다. 성막은 하나님이 하나님의 백성을 만나셨던 이동 가능한 장막입니다. 하나님은 성막에 대한 특별한 목적을 갖고 계셨습니다(출 29:45~46).

모세는 시내 산에서 하나님과 함께 40일을 보냈습니다. 하나님은 십계명이라는 언약의 말씀을 두 개의 돌판에 새기셨습니다. 돌아온 모세는 모든 이스라엘 백성을 부르고 그들에게 하나님이 주신 말씀을 전했습니다(출 24:3~4).

성막 건축에 대한 하나님의 명령은 매우 자세했습니다. 하나님은 이스라엘 백성에게 부담을 주시려는 것이 아니라 하나님의 거룩하심과 권위를 보이기 원하셨습니다. 하나님은 브살렐과 오홀리압이 성막의 건축을 감독하게 하셨고, 그들에게 지혜와 총명과 장인 정신을 주셨습니다. 기술을 가진 모든 사람이 자원하는 마음으로 하나님의 성막을 짓는 일에 열심히 임했습니다(출 35:30~35, 36:1~3).

하나님이 이스라엘 백성에게 만들라고 하신 성막은 하나님이 그들 가운데 거하신다는 가시적인 상징과도 같은 것이었습니다. 성막과 성전은 예수님이 오시기 전까지 하나님의 영광이 거하는 장소였습니다(고후 4:6). 성막의 모든 부분은 하나님과 이스라엘 백성의 관계를 보여 주기 위해 디자인되었습니다.

예수님의 오심은 구약의 성막이 신약에서 성취된 것입니다. 요한복음 1장 14절은 "말씀이 육신이 되어 우리 가운데 거하시매"라고 말합니다. 예수님은 사람들 가운데 거하셨습니다. "하나님의 장막이 사람들과 함께 있으매"(계 21:3).

●● 티칭 포인트

아이들에게 성막 건축에 대한 내용을 가르치는 동안 하나님의 백성과 함께하기 원하시는 하나님의 소망을 알려 주십시오. 또한 하나님은 성막을 통해 이스라엘 백성에게 자신이 늘 함께한다는 것을 알려 주기 원하셨다고 이야기해 주십시오. 신약에서 예수님의 오심은 사람들을 하나님께로 데려가시려는 하나님의 계획이었다는 것을 강조해서 말해 주십시오.

주 제

하나님은 하나님의 백성과 함께 계시기 위해 성막을 지으라고 하셨어요.

가스펠 링크

하나님은 구원의 계획으로 예수님을 보내셔서 사람들과 함께 이 땅에 살게 하셨어요.

성막을 지었어요 출 35:4~40:38

모세가 시내 산에서 하나님과 함께 있는 동안 하나님이 모세에게 말씀하셨어요. "이스라엘 백성에게 나를 위해 성막을 만들게 하라. 그러면 내가 그들 가운데 거할 것이다." 하나님은 모세에게 성막을 어떻게 지어야 하는지 자세하게 알려 주셨어요. "내가 보여 주는 모양과 똑같이 지으라." 성막은 이스라엘 백성이 이동할 때 가지고 다닐 수 있는 큰 천막이었어요. 앞으로 성막은 하나님이 하나님의 백성과 만나시는 장소가 될 거예요.

모세는 시내 산에서 내려오자마자 모든 이스라엘 백성을 불러 모아 하나님이 하신 말씀을 전해 주었지요. 모세는 사람들에게 성막을 만들 예물들을 가져오게 했어요. 마음에 감동을 받은 이스라엘 백성은 금, 은, 놋과 파란색 실, 자주색 실, 빨간색 실, 가는 베실, 염소 털, 붉게 물들인 양 가죽, 해달 가죽, 조각목(아카시아나무), 기름, 향품, 보석 등 성막에 필요한 예물들을 가져와서 하나님께 드렸어요.

하나님은 브살렐과 오홀리압 두 사람에게 성막을 짓게 하시고, 지혜와 총명과 특별한 재능을 주셨어요. 이 둘과 하나님께 자신의 재능을 드리기 원하는 기술자들이 함께 모여 하나님을 위한 성막을 지었어요. 이스라엘 백성은 즐거운 마음으로 성막을 짓기 위한 예물을 가져왔어요. 모세가 이제 충분하니 예물을 그만 가져와도 된다고 말할 때까지 계속 예물이 모였어요.

기술자들은 하나님이 명령하신 대로 성막을 지었어요. 휘장 열 폭의 성막을 만들었는데, 한 폭의 길이가 28*규빗(약 12.6m)이었어요. 그들은 성막 위를 덮을 것으로 염소 털로 휘장 열한 폭을 만들었어요. 조각목으로 널판을 만들어 성막의 벽을 세웠는데 각각의 널판은 길이가 10규빗(약 4.5m), 너비가 1.5규빗(약 68cm)이었어요. 모든 것이 하나님이 말씀하신 대로 지어졌어요.

기술자들은 성막 안에 휘장을 만들었어요. 그리고 언약궤, 상(떡상), 등잔대 등 성막에서 쓸 여러 가지 도구들을 만들었지요. 모든 것은 특별한 목적을 가지고 있었고, 하나님이 말씀하신 대로 만들어졌어요.

때가 되자, 하나님은 모세에게 성막을 세우라고 하셨어요. 그리고 성막과 그 안에 있는 모든 것에 기름을 발라 거룩하게 하라고 하셨어요. 하나님은 모세에게 아론을 성막 문으로 데려가 물로 씻긴 후 거룩한 옷을 입히고 기름을 부어 거룩하게 해 제사장으로 하나님을 섬기게 하라고 말씀하셨어요. 아론의 아들들도 하나님을 섬기는 제사장으로 기름 부음을 받았어요. 모세는 하나님이 명하신 대로 행했고, 마침내 성막이 세워졌어요. 구름이 성막을 덮고 하나님의 영광이 성막에 가득했어요.

하나님은 이스라엘 백성에게 신호를 보내 주셨어요. 구름 가운데서 그들을 인도하셨지요. 사람들은 구름이 성막 위에서 떠오르면 앞으로 나아갔고, 구름이 떠오르지 않으면 그 자리에 머물렀어요. 낮에는 하나님의 구름이 성막 위에 있었고, 밤에는 불이 구름 가운데 있어서 그들과 함께했어요. 모든 이스라엘 백성은 광야를 여행하는 동안 구름기둥과 불기둥을 볼 수 있었답니다.

●● 가스펠 링크

하나님은 하나님의 백성과 함께 있기를 원하셨어요. 그래서 성막을 지으라고 하셨지요. 하나님은 예수님을 하나님이 우리와 함께하시는(임마누엘) '성막'으로 이 땅에 보내셔서 사람들과 함께 살게 하셨어요.

*규빗 : 길이를 재는 단위, 1규빗은 약 45cm

가스펠 준비

(10~20분)

환영

준비물 도화지, 빨대, 셀로판테이프

도착하는 아이들을 반갑게 맞이하고 헌금, 출석, QT 등을 확인하며 격려한다. 새 친구가 있다면 소개한다. 아이들에게 도화지, 빨대, 셀로판테이프를 나누어 준다. 함께 튼튼한 다리나 높은 탑을 만들어 보게 한다. 실제로 멋있는 다리나 높은 건물을 본 적이 있는지 물어보고 왜 그렇게 생각했는지 이유를 물어본다. 자발적으로 대화에 참여하도록 이끈다.

예) "멋진 다리나 탑을 본 적이 있나요?", "왜 그 다리나 탑이 멋있다고 생각했나요?" 등.

— 오늘의 성경 이야기는 하나님의 백성이 함께 무언가를 만든 일에 대한 이야기예요. 그들이 만든 것은 다리나 탑이 아니라 바로 성막이었답니다. '성막'이란 예배하는 장막을 말해요. 성막은 하나님이 하나님의 백성과 함께 계시는 곳이었지요.

마음 열기

내가 꿈꾸는 집 *

준비물 설계도, 종이, 연필

① 인터넷이나 책을 참고해 설계도를 준비해 놓고, 아이들에게 보여 준다.

② 아이들에게 종이와 연필을 나누어 준 뒤 자신이 꿈꾸는 집의 설계도를 간단하게 그려 보게 한다.

③ 집에서 흔히 볼 수 있는 공간들을 생각해 본 후 상상력을 발휘해 특별한 공간으로 설계해 보라고 이야기해 준다.

— **하나님은 하나님의 백성과 함께 계시기 위해 성막을 지으라고 하셨어요.** 하나님의 백성은 자기 마음대로 성막을 짓지 않았어요. 그들은 하나님이 주신 명령대로 주의 깊게 성막을 만들었답니다.

성막 예물 메모리 게임 *

준비물 성막 예물 카드(학생용 교재 49쪽), 가위

① 아이들을 둘씩 짝을 짓고 성막 예물 카드를 가위로 오리게 한 뒤 어떤 예물인지 간략하게 설명해 준다.

실 - 향품 - 등잔대 - 번제단 - 금 - 휘장 - 빵(떡) - 성막 - 보석 - 나무 - 상 - 기름

② 두 아이의 카드를 모아 섞은 뒤 뒤집은 채 바닥에 격자무늬로 배열한다.

③ 가위바위보로 이긴 아이에게 먼저 카드 두 장을 골라 한꺼번에 뒤집으라고 한다. 같은 예물이면 카드를 가져가고, 다른 예물이면 원래 자리에 뒤집어 놓으라고 말해 준다.

④ 예물의 짝을 다 맞출 때까지 차례를 돌아가며 진행한다.

— **하나님은 하나님의 백성과 함께 계시기 위해 성막을 지으라고 하셨어요.** 이스라엘 백성에게는 성막을 짓기 위한 재료들이 필요했어요. 그래서 그들은 예물들을 모았어요. 하나님은 이스라엘 백성이 가져온 모든 예물로 성막을 지을 수 있도록 기술자들에게 특별한 재능을 주셨어요.

가스펠 **설교**

(15~30분)

들어가기

준비물 **공구 벨트, 보안경, 망치, 판자, 못**

공구 벨트를 차고 보안경을 쓴 채 들어온다. 손에는 망치와 판자, 못을 들고 있다. 숨을 크게 내쉬며 땀이 흐르는 듯 이마를 닦는다.

여러분, 안녕하세요! 다시 만나서 반가워요. 저는 아지트를 고치고 있었어요. 사실 저는 손재주가 좋은 편은 아니에요. 부서진 집을 고치는 것보다는 책을 읽거나 놀거나 그림을 그리는 것이 더 좋거든요. 여러분 중에 부서진 물건을 고치거나 무엇인가를 만드는 일을 좋아하는 친구가 있나요? 아이들의 대답을 기다린다. 하나님이 우리에게 서로 다른 재능을 주셨다는 사실이 멋지지 않나요?

재능 이야기를 하니까 오늘의 성경 이야기가 생각나네요! 하나님은 이스라엘 백성에게 성막을 지으라고 하셨고, 브살렐과 오홀리압이라는 사람에게 성막을 지을 특별한 재능을 주셨어요. 하나님은 성막을 짓는 일을 도와줄 다른 기술자들도 부르셨어요.

연대표

금송아지를
만들었어요

십계명
"하나님을 사랑하라"

십계명
"이웃을 사랑하라"

성막을
지었어요

하나님이 제사의 규칙을
정해 주셨어요

오직 하나님만
예배해요

지난 2주에 걸쳐서 우리는 하나님이 모세에게 십계명을 주신 사건에 대해 이야기했어요. 연대표에서 "십계명 '하나님을 사랑하라'"와 "십계명 '이웃을 사랑하라'"를 가리킨다. 모세는 시내 산에서 40일 동안 머물렀다가 내려왔어요. 그는 이스라엘 백성을 모아서 하나님의 말씀을 전해 주었지요. 하나님이 그들에게 주신 말씀 중 하나는 성막에 관한 것이었어요. '성막'이란 하나님이 사람들과 함께 계시는 예배 장소를 말해요. 하나님은 하나님의 백성과 함께 계시는 것을 기뻐하세요!

성경의 초점

사람들이 성막을 만든 이유는 무엇인가요? '성막'이란 예배하기 위한 장막을 말해요. 하나님의 백성은 성막에서 하나님께 예배했어요. 그들은 예배를 통해 하나님을 찬양했고, 자신의 죄를 특별한 방법으로 고백했어요. 성막을 지은 이야기는 2단원의 '성경의 초점'과 연결되어 있어요. 여러분 중에 지난 시간에 배운 '성경의 초점'을 기억하는 친구가 있나요? 아이들의 대답을 기다린다. 맞아요! **누가 하나님의 법을 완전하게 지킬 수 있나요? 예수님 외에는 아무도 없어요.** 죄가 사람들을 하나님으로부터 갈라놓았지만, 사람들은 성막에 가서 거룩하신 하나님께 찬양과 예물로 예배드릴 수 있었어요.

성경 이야기

DVD 출애굽기 35~40장을 펴고, 설교 영상(지도자용 팩)을 보여 주거나 이야기 성경을 들려준다.

이스라엘 백성은 성막을 짓는 일에 대한 하나님의 지시를 주의 깊게 들었어요. 여러분은 오늘의 성경 이야기를 얼마나 귀 기울여 들었나요? 여러분이 다음 질문에 얼마나 대답할 수 있는지 한번 알아볼게요.

복/습/질/문

1. 하나님은 왜 이스라엘 백성에게 성막을 지으라고 하셨나요?
   이스라엘 백성과 함께 계시기 위해 (출 25:8)
2. 성막은 분리해서 가지고 다닐 수 있었나요?
   그렇다 (출 40:36)

3 하나님은 브살렐과 오홀리압에게 무엇을 주셨나요?

지혜와 총명과 지식을 주셨다 (출 35:30~35)

4 모세는 이스라엘 백성에게 무엇을 그만하라고 했나요?

성막에 드릴 예물을 다시 만들지 말라고 했다. 예물이 넉넉해 남았기 때문이다 (출 36:6~7)

5 휘장의 일부는 어떤 동물의 털로 만들어졌나요?

염소 (출 36:14)

6 성막에 나타난 구름의 의미는 무엇인가요?

하나님의 임재, 이스라엘 백성은 구름이 성막 위에서 떠오르면 앞으로 나아갔고, 구름이 떠오르지 않을 때는 머물렀다 (출 40:36~37)

7 누가 하나님의 법을 완전하게 지킬 수 있나요?

예수님 외에는 아무도 없어요.

지금 우리에게 성막이 필요 없는 이유는 무엇일까요? 아이들의 대답을 기다린다. 성막은 하나님이 사람들과 함께 계시는 예배 장소였어요. 하나님은 이스라엘 백성에게 그들을 얼마나 사랑하는지 보여 주셨어요. 그러나 하나님은 예수님을 보내 주셔서 우리와 함께할 수 있는 더 놀라운 방법을 보여 주셨답니다. 성자 하나님이 인간으로 이 땅에 오셔서 우리와 함께 사셨어요. 예수님이 하늘로 올라가신 뒤 하나님은 믿는 사람들에게 성령님을 보내 주셨어요. 이제 우리는 언제 어디서나 하나님께 예배할 수 있어요!

복음 초청

성경과 21쪽 복음 초청 가이드를 이용해서 아이들에게 그리스도인이 되는 법을 설명해 준다. 따로 상담해 줄 사람을 정해 주고 궁금한 점이 있으면 물어보도록 격려한다.

이 시간 예수님을 마음에 모시고 싶은 친구는 함께 기도해요.

기도

사랑하는 하나님, 하나님은 언제나 옳고 진실한 분이십니다. 예수님은 아무 죄도 없는 분이시지만, 우리는 하나님 앞에 죄인임을 고백합니다. 예수님을 보내 주셔서 우리의 죄를 대속하게 하시고, 성령님을 보내 주셔서 예수님을 믿는 사람들이 언제 어디서나 하나님을 예배할 수 있게 해 주셔서 감사합니다. 하나님은 항상 우리와 함께 계심을 믿습니다. 사랑합니다. 예수님의 이름으로 기도합니다. 아멘.

적용

TIP 설교 도입이나 적용으로 활용하거나 영상을 본 뒤 소그룹에서 풍성한 대화를 이어 갈 수 있습니다.

DVD 적용 예화 영상(지도자용 팩)을 보여 준다.

새뮤얼은 무당벌레 두 마리를 함께하게 해 줄 좋은 방법을 생각해 내려고 했어요. 그런데 새뮤얼이 생각한 방법이 가장 좋았나요? 하나님은 이스라엘 백성에게 왜 성막을 지으라고 하셨나요? **하나님은 하나님의 백성과 함께 계시기 위해 성막을 지으라고 하셨어요.** 오늘 하나님은 성령님을 통해 우리와 함께하세요. 하나님과 함께 시간을 보낼 수 있는 방법을 생각해 보아요.

나침반

말씀 빨래를 널어요

준비물 털실이나 끈, 암송 구절 단어를 적은 색도화지, 빨래집게, 네임펜

① 털실이나 끈을 빨랫줄처럼 길게 늘어뜨려 고정시킨다.

② 암송 구절 단어를 여러 색의 색도화지에 나누어 적고, 예배실 가운데 놓아 둔다. 색도화지 개수보다 아이들이 많을 경우 자원자를 뽑아 게임을 진행한다.

③ 아이들에게 빨래집게를 하나씩 나누어 준다.

④ 인도자가 "시작!"을 외치면 아이들은 예배실 가운데로 달려가 암송 구절 단어가 적힌 도화지를 한 장씩 집어 와 빨랫줄에 빨래를 널듯이 널어야 한다. 이때 빨래집게를 이용하고, 암송 구절 순서에 맞게 널어야 한다는 규칙을 알려 준다.

⑤ 아이들이 빨랫줄에 순서대로 암송 구절을 다 널고 나면 크게 읽게 한다. 단어를 섞은 뒤 게임을 계속해 모든 아이가 참여하게 한다.

— 하나님은 하나님의 백성을 노예 생활에서 구하셔서 유일한 진짜 신이신 하나님을 예배하게 하셨어요. 사람들이 하나님께 예배하는 방법 중에 하나는 우리가 지난주에 배웠듯이 하나님의 규칙을 따르는 것이었어요. 그리고 또 다른 방법은 하나님께 찬양을 드리고 성막에 예물을 가져오는 것이었지요. 예물에 대해서는 9과에서 좀 더 배울 거예요. **하나님은 하나님의 백성과 함께 계시기 위해 성막을 지으라고 하셨어요.** 하나님은 하나님의 백성과 함께 계시는 것을 기뻐하세요!

보물 지도

성막 살펴보기

DVD 준비물 성경, 성막 그림 자료(뒤표지 안쪽 또는 지도자용 팩)

① 성막 그림 자료를 보여 주며 아이들이 성막이 어떻게 생겼는지 살펴보게 한다.

② 아이들에게 히브리서 9장 1~12절을 읽어 준다. 성경을 들을 때 등장하는 장소나 물건을 성막 그림 자료에서 손가락으로 가리키게 한다.

1. 성소 : 등잔대, 상, 진설병, 제사장(히 9:2, 6)

2. 지성소 : 둘째 휘장, 언약궤(히 9:3~4)

③ 성경을 읽기 전에 히브리서에 대해서 간략하게 설명해 준다. 히브리서는 신약성경에 있는 책으로, 모세가 살았던 때로부터 몇천 년이 지난 후 기록되었다고 말해 준다. 히브리서는 예수님이 십자가에서 죽으시고 부활하신 후에 쓰였다.

— 히브리서의 저자는 성막에서 드려졌던 예물은 우리의 죄를 영원히 씻기에는 부족했다고 말했어요. 우리에게는 더 나은 예물이 필요했어요. 그것은 바로 예수님이셨지요. 예수님은 십자가에서 죽으심으로 우리 죄의 대가를 치르셨고, 우리를 죄에서 구원하셨어요. 여러분은 예수님을 믿나요? 예수님에 대해 더 알고 싶고, 예수님을 따르기 원하나요?

TIP 히브리서는 성경 시대의 유대 그리스도인들이 예수님이 율법의 요구를 만족시키셨다는 것을 이해할 수 있도록 도와주었다. 히브리서는 성막, 희생 제사, 그리고 예수님으로 상징되는 제사장의 의무에 대해 다루고 있다.

탐험하기

성막에 필요한 예물은?

준비물 학생용 교재 32쪽, 성경, 연필

① 초성 힌트를 보고 성막에 필요한 예물들의 이름을 써 보게 한다.

② 도움이 필요하다면 성경에서 출애굽기 25장 3~7절을 찾아 읽어 보라고 한다.

— 성막에 필요한 예물들은 참 다양했어요. 이스라엘 백성은 마음에 감동을 받은 대로 필요한 예물들을 가져와서 드렸어요. 백성이 드린 예물로 만들어진 성막에는 하나님의 영광이 가득했어요. **하나님은 하나님의 백성과 함께 계시기 위해 성막을 지으라고 하셨어요.** 하나님은 구원의 계획으로

예수님을 보내셔서 성막이 되어 사람들과 함께 이 땅에서 살게 하셨어요.

나도 이제 성막을 알아요!

준비물 학생용 교재 33쪽, 연필

보기 의 단어들을 빈칸에 알맞게 넣어 성막에 관한 문장을 완성하게 한다.

1. 하나님은 하나님의 백성과 함께 계시기 위해 성막 을 지으라고 하셨어요.
2. 성막은 정말 큰 장막 이었어요.
3. 사람들은 마음에 감동을 받은 대로 예물 을 가져왔어요.
4. 하나님은 브살렐과 오홀리압에게 성막을 짓는 데 필요한 특별한 재능 을 주셨어요.
5. 하나님은 모세에게 성막과 그 안에 있는 모든 것에 기름을 발라 거룩 하게 하라고 하셨어요.
6. 아론의 아들들도 하나님을 섬기는 제사장 으로 기름 부음 받았어요.
7. 성막은 하나님의 영광 이 머무는 곳이었어요.
8. 성막이 완성되자 구름 이 성막을 덮었어요.

종이 휘장 *

준비물 색도화지(파란색, 자주색, 빨간색, 흰색), 가위, 풀

① 출애굽기 26장 1절을 크게 읽어 준 뒤 '그룹'이란 '천사들'을 뜻한다고 설명해 준다.

② 아이들에게 파란색, 자주색, 빨간색, 흰색 색도화지를 나누어 준 뒤 자신만의 휘장을 만들어 보게 한다.

③ 휘장에 대해 아래와 같이 설명해 준다.

— 성막은 가늘게 꼰 베실과 파란색, 자주색, 빨간색 실로 그룹(천사들)을 수놓아 만든 열 폭의 휘장으로 덮여 있었고, 염소 털로 열한 폭의 막을 만들어 성막을 덮었어요. 그 위를 붉은 물을 들인 양 가죽으로 막의 덮개를 만들어 덮었고, 또 그 위를 해달 가죽으로 만든 덮개로 씌웠어요. 또 다른 휘장은 성막 안에 있었는데, 성소와 지성소를 구분했어요. 하나님은 지성소 안에 있는 언약궤 위에 임재하셨어요(출 25:22). **하나님은 하나님의 백성과 함께 계시기 위해 성막을 지으라고 하셨어요.**

보물 상자

나만의 기록장

준비물 학생용 교재 34쪽, 연필

① 사람들을 하나님께로 인도하시는 예수님을 생각하면 어떤 생각이 드는지 이야기를 나누어 보고, 하나님을 찬양하는 마음을 글로 표현하게 한다.

② 예수님을 믿는 사람들은 더 이상 하나님으로부터 멀어지지 않으며, 하나님이 성령님을 통해 우리와 함께하신다는 사실을 아이들에게 설명해 준다.

메시지 카드

이번 주 메시지 카드로 부모님과 함께 오늘 배운 성경 이야기를 나누어 보라고 한다.

기도

하나님, 하나님의 백성과 함께 계시기 위해 성막을 지으신 것처럼 지금도 우리와 함께 계시는 것을 믿습니다. 예수님이 성막이 되어 우리와 함께 계시게 해 주셔서 감사합니다. 예수님 곁에서 언제나 하나님의 사랑을 느끼며 살기를 원합니다. 예수님의 이름으로 기도합니다. 아멘.

9

하나님이 제사의 규칙을 정해 주셨어요

레 1~27장

단원 암송

나는 너희의 하나님이 되려고
너희를 애굽 땅에서 인도하여 낸 여호와라
내가 거룩하니 너희도 거룩할지어다(레 11:45).

성경의 초점

누가 하나님의 법을 완전하게 지킬 수 있나요?
예수님 외에는 아무도 없어요.

본문 속으로

성막이 완성되었습니다. 하나님의 영광이 성막에 머물렀고, 이스라엘 백성은 더 이상 하나님의 임재로 인해 죽을까 염려할 필요가 없었습니다. 하나님은 시내산에서 이스라엘 백성에게 율법을 주셨습니다. 하나님이 주신 율법에는 그들이 어떻게 살아야 하는지, 성막에서 하나님을 어떻게 예배해야 하는지에 대한 내용이 포함되어 있었습니다. 모든 규칙이 레위기에 기록되어 있습니다. 하나님이 이러한 규칙을 주신 이유는 레위기 19장 2절에서 찾아볼 수 있습니다. "너희는 거룩하라 이는 나 여호와 너희 하나님이 거룩함이니라."

하나님은 육체의 생명이 피에 있으므로 피가 죄를 속한다고 말씀하셨습니다(레 17:11). 이것은 "왜 예수님이 십자가에서 피 흘려 죽으셔야 했나?"라는 질문에 대한 답이기도 합니다. 죄를 용서받기 위해서는 피 흘림이 필요합니다. "율법을 따라 거의 모든 물건이 피로써 정결하게 되나니 피 흘림이 없은즉 사함이 없느니라"(히 9:22).

희생 제물에 대한 신약의 가르침을 찾아보는 것은 중요합니다. 히브리서 10장 4절은 "이는 황소와 염소의 피가 능히 죄를 없이하지 못함이라"라고 말합니다. 동물의 피가 죄를 없애지 못한다면 하나님은 왜 사람들에게 희생 제사를 요구하셨을까요? 희생 제사 제도는 자신을 완벽한 희생 제물로 드리셔서 우리의 죄를 한 번에 영원히 속죄하신 예수님의 십자가 사건을 예표하는 그림자요 모형인 것입니다(엡 1:7; 롬 5:9).

레위기는 이스라엘 백성을 위한 많은 규칙을 담고 있습니다. 그러나 오늘날 우리는 레위기의 모든 규칙을 지키지는 않습니다. 예수님이 우리를 위해 율법에 완전히 순종하셨기 때문입니다.

티칭 포인트

성경에서 레위기는 아이들에게 익숙하지 않은 책입니다. 이 과를 통해 하나님은 거룩하시기 때문에 죄를 용서받기 위해서는 피의 희생 제물이 반드시 필요하다는 점을 아이들에게 설명해 주십시오. 그리고 아이들을 예수님께로 인도하십시오. 예수님이 우리를 위해 세상의 죄를 모두 지신 완벽한, 그리고 완전한 희생 제물이 되셨다는 사실이 얼마나 소중한지 알려 주십시오(요 1:29).

주 제

하나님은 거룩하시기 때문에 죄에 대해서 희생 제물을 요구하세요.

가스펠 링크

예수님은 자신을 완벽한 희생 제물로 드리셔서 우리의 죄를 한 번에 영원히 가져가셨어요.

하나님이 제사의 규칙을 정해 주셨어요 레 1~27장

모세가 시내 산에서 하나님과 함께 있는 동안 하나님은 이스라엘 백성을 위한 여러 가지 규칙을 알려 주셨어요. 이 규칙은 사람들이 어떻게 거룩하게 살아야 할지를 알려 주었지요. 하나님은 거룩하시기 때문에 죄와 함께 계실 수 없어요. 그러나 이스라엘 백성은 하나님의 법을 완벽하게 지킬 수가 없었답니다. 따라서 하나님은 성막에서 모세를 부르셔서 말씀하셨어요. 이스라엘 백성이 어떻게 살아야 할지, 어떻게 하나님께 예배해야 할지, 그리고 죄를 지었을 때 어떻게 해야 할지를 알려 주셨지요.

먼저, 하나님은 제물을 드리는 방법을 알려 주셨어요. '제물'이란 사람들이 하나님께 드리는 돈이나 보석같이 소중히 여기는 선물을 말해요. 동물, 곡식, 빵 등이 제물로 드려졌어요. 때에 따라 드리는 제물이 조금씩 달랐어요. 하나님을 찬양하며 기도하고 싶을 때는 하나님께 번제 제물을 드렸어요. 하나님께 잘못했다고 고백하고 싶을 때는 죄 용서를 구하는 속죄 제물을 드렸어요.

하나님은 제사장들에 대한 규칙도 주셨어요. 제사장들은 하나님이 명령하신 대로 희생 제물을 드렸어요. 제사장들은 성막을 지키고, 사람들에게 하나님이 원하시는 거룩한 삶에 대해 가르쳤어요. 아론과 그의 아들들이 제사장으로 섬겼답니다.

하나님은 모세에게 일 년에 한 번 있는 특별한 날에 대해 말씀하셨어요. 그날은 '대속죄일'이라고 불렸어요. '속죄'란 죄에 대한 값을 치르고 용서받아 하나님과 화해하는 것을 말해요. 사람들이 하나님과 화해하기 위해서는 죄를 용서받아야 했어요. 대속죄일이 되면 이스라엘 백성은 희생 제물(동물)을 드렸어요. 대제사장은 특별한 희생 제사를 드렸지요. 그는 동물의 피를 가져다가 성막 중에서 가장 특별한 공간인 지성소로 들어갔어요. 지성소 안에는 십계명이 쓰인 돌판을 담아 놓은 금을 입힌 상자가 있었어요. 바로 언약궤예요. 대제사장은 동물의 피를 언약궤의 뚜껑 위에 뿌렸어요. 언약궤의 뚜껑은 '은혜가 임하는 자리'라고 불렸어요.

희생 제물이 중요한 이유는 이스라엘 백성의 죄의 값을 치러 주었기 때문이에요. 하나님은 이렇게 말씀하셨어요. "그날 너희를 위해 너희를 깨끗하게 하는 속죄를 하라. 그러면 여호와 앞에서 너희 모든 죄가 깨끗하게 될 것이다."

하나님은 이스라엘 백성에게 하나님의 법을 주셔서 어떻게 살아야 할지를 알려 주셨어요. 하나님은 "너희 하나님 여호와가 거룩하니 너희도 거룩해야 한다"라고 말씀하시고, 거룩이 무엇인지 알려 주셨어요. "부모를 공경하라", "안식일을 지켜라", "거짓말하지 말라", "네 이웃을 네 자신같이 사랑하라" 등 많은 규칙을 주셨답니다.

●● 가스펠 링크

하나님이 이스라엘 백성에게 요구하신 희생 제물은 하나님이 죄인을 용서하실 것이라는 사실을 우리에게 보여 주어요. 예수님을 믿는 우리에게는 더 이상 희생 제물이 필요하지 않아요. 예수님이 자신을 완벽한 희생 제물로 드리셔서 우리의 죄를 한 번에 영원히 가져가셨기 때문이에요.

가스펠 준비
(10~20분)

환영

도착하는 아이들을 반갑게 맞이하고 헌금, 출석, QT 등을 확인하며 격려한다. 새 친구가 있다면 소개한다. 아이들에게 정답 맞히기 게임을 하자고 제안한다. 한 아이에게 주제(사람, 장소, 물건, 동물 등)를 정하게 하고, 다른 아이에게 그 주제 중 하나에 속한 무언가를 정해 인도자의 귀에 속삭여 답을 알려 달라고 한다. 문제를 낸 아이가 세 가지 힌트를 주면 나머지 아이들이 맞히는 방식으로 진행한다.

예) 책상 : "다리가 네 개예요", "나무로 만들어졌어요", "여기에도 많이 있어요" 등.

— 힌트를 잘 주었네요! 하나님은 구약성경에서 예수님을 나타내는 많은 힌트를 주셨어요. 그중 하나는 오늘 우리가 배울 희생 제사예요. 하나님은 예수님이 우리의 죄를 위해 죽으셔야 한다는 것을 보여 주셨답니다.

마음 열기

다 돌려놓아요! *

① 아이들에게 모두 눈을 감은 채 엎드리라고 한다. 중간에 눈을 뜨거나 몸을 일으키는 친구는 탈락이라고 말해 준다.

② 조용히 예배실에 있는 물건 중 하나(혹은 여러 개)에 변화를 준다.

예) 의자 옮기기, 없던 물건 벽에 달아 놓기, 있던 물건 숨기기 등.

③ 잠시 후 아이들에게 눈을 뜨라고 한 뒤 예배실에 무엇인가 달라진 점이 있는지 찾아보게 한다. 정답을 아는 아이에게 물건을 제자리에 돌려놓으라고 한다. 시간 여유가 있다면 게임을 계속한다.

— 죄는 우리를 거룩하신 하나님으로부터 갈라놓는다는 것을 기억하세요. 누가 우리를 하나님께로 다시 데려갈 수 있을까요? 오늘의 성경 이야기에서는 속죄에 대해 배울 거예요. '속죄'란 잘못된 일을 바로잡는다는 뜻이에요. 그런데 죄를 바로잡는 것은 예배실에 있는 물건을 제자리에 돌려놓는 것처럼 쉬운 일이 아니에요. **하나님은 거룩하시기 때문에 죄에 대해서 희생 제물을 요구하세요.** 우리에게는 속죄가 필요해요.

공통점 찾기 *

준비물 화이트보드, 보드마커

① 2~3명이 한 팀이 되도록 팀을 나누고 팀별로 앉게 한다.

② '돈', '소', '비둘기', '염소', '곡식' 등 예물에 포함되는 단어를 화이트보드에 써서 아이들에게 보여 준다.

③ 팀별로 단어들의 공통점이 무엇인지 상의할 수 있는 시간을 준다.

④ 팀별로 돌아가면서 공통점을 큰 소리로 외치게 한다.

— 아주 잘했어요! 여기에 적힌 단어들은 사람들이 성막을 짓기 위해 하나님께 드렸던 예물들이에요. '예물'이란 하나님께 드리는 선물을 말해요. 하나님의 백성은 성막을 짓는 데 필요한 예물을 하나님께 드리기도 했고, 성막에서 자신이 지은 죄를 회개하기도 했어요. **하나님은 거룩하시기 때문에 죄에 대해서 희생 제물을 요구하세요.**

가스펠 **설교**

(15~30분)

들어가기

준비물 손전등

손전등을 들고 들어온다.

여러분, 안녕하세요! 아지트에 다시 오신 여러분을 환영합니다. 지난 두 주 동안 정말 특별한 일이 있었어요. 우리가 다 같이 만들었던 아지트에서의 규칙을 기억하나요? 그런데 사람들이 규칙을 지키지 않았어요. 저도 포함해서요! 해가 지고 나서 손전등이 없다는 사실을 깨달은 적이 몇 번인지 몰라요. 정말 위험했어요! 규칙은 좋은 것일지라도 지키기가 쉽지 않답니다.

우리는 오늘의 성경 이야기에서 이스라엘 백성이 하나님의 규칙을 지키지 못했다는 것에 대해 배울 거예요. 하나님은 거룩하시지만 이스라엘 백성은 그렇지 못했어요. 하나님은 모든 것을 미리 아시고 사람들이 하나님께 죄를 지었을 때 따라야 할 규칙을 알려 주셨어요. 예물과 희생 제사를 드리는 방법도 가르쳐 주셨어요.

연대표

금송아지를 만들었어요

십계명 "하나님을 사랑하라"

십계명 "이웃을 사랑하라"

성막을 지었어요

하나님이 제사의 규칙을 정해 주셨어요

오직 하나님만 예배해요

오늘의 성경 이야기는 지난 과에서 배웠던 성경 이야기로부터 오랜 시간이 지나지 않은 때의 이야기예요. 연대표를 가리킨다. 이스라엘 백성은 성막을 지었고, 하나님은 그들에게 예물과 희생 제물을 드릴 때 따라야 할 규칙을 알려 주셨어요. 희생 제물이란 예배할 때 하나님께 드리는 거예요. 하나님의 법을 완전하게 지킬 수 있는 사람은 아무도 없기에 사람들에게는 희생 제사가 필요했어요.

성경의 초점

2단원의 '성경의 초점' 질문은 **"누가 하나님의 법을 완전하게 지킬 수 있나요?"**예요. 이 질문의 답을 아는 친구가 있나요? 아이들의 대답을 기다린다. 여러분 중에 항상 선생님의 말씀에 순종하는 친구가 있을 수도 있어요. 할머니가 매일 아침에 성경을 읽어 주신다거나 형제자매와 한 번도 싸운 적이 없는 친구도 있을 수 있어요.

그렇지만 성경은 모든 사람이 항상 옳을 수는 없다고 이야기해요. 오히려 성경은 모든 사람이 죄인이고, 우리는 죄 때문에 벌을 받아야 하는 사람들이라고 이야기하지요! 우리가 얼마나 노력하든지 간에 우리는 완벽해질 수 없어요. 이것이 바로 하나님의 도우심이 필요한 이유랍니다!

"누가 하나님의 법을 완전하게 지킬 수 있나요?"라는 질문의 답은 "아무도 없어요"예요. 정확히 말하면 **"예수님 외에는 아무도 없어요"**이지요.

성경 이야기

DVD 레위기를 펴고, 설교 영상(지도자용 팩)을 보여 주거나 이야기 성경을 들려준다.

하나님은 이스라엘 백성에게 희생 제사를 위한 규칙을 주셨어요. 죄를 용서받기 위해서는 피 흘림이 필요했어요(히 9:22). 대속죄일은 이스라엘 백성에게 아주 중요한 날이었어요. 일 년에 한 번 대제사장은 이스라엘 백성의 죄를 속죄하기 위해 특별한 희생 제사를 드렸어요. 그러나 동물의 희생 제사는 우리의 죄를 영원히 용서해 주지 못해요. 그래서 이스라엘 백성은 매년 대속죄일을 지켜야 했답니다.

복/습/질/문

1. 하나님의 법은 사람들에게 무엇을 가르쳐 주었나요?
   거룩하게 사는 방법 (레 11:45)
2. 이스라엘 백성이 하나님께 드리려고 성막으로 가져온 예물은 무엇인가요?
   돈, 동물, 곡식 등 (레 1~7장)
3. 이번 과에서 어떤 종류의 제물에 대해 배웠나요?
   예배를 위한 번제물, 죄를 용서받기 위한 속죄 제물 (레 1:4)
4. 일 년에 한 번 대제사장이 특별한 희생 제사를 드린 날을 무엇이라고 하나요?
   대속죄일 (레 16장)
5. 대속죄일의 희생 제사는 왜 일 년에 한 번씩 드려야 했나요?
   동물의 희생 제사는 사람들이 한 해 동안 지은 죄만을 없애 주었기 때문이다 (레 16:34)
6. **누가 하나님의 법을 완전하게 지킬 수 있나요?**
   예수님 외에는 아무도 없어요.

하나님이 이스라엘 백성에게 명령하신 희생 제사는 하나님이 죄인을 용서하실 것이라는 사실을 우리에게 보여 주어요. 예수님을 믿는 우리에게는 더 이상 희생 제사가 필요하지 않아요. 예수님은 자신을 완벽한 희생 제물로 드리셔서 우리의 죄를 한 번에 영원히 가져가셨어요.

복음 초청

성경과 21쪽 복음 초청 가이드를 이용해서 아이들에게 그리스도인이 되는 법을 설명해 준다. 따로 상담해 줄 사람을 정해 주고 궁금한 점이 있으면 물어보도록 격려한다.

이 시간 예수님을 마음에 모시고 싶은 친구는 함께 기도해요.

기도

사랑하는 하나님, 예수님을 보내셔서 하나님의 법을 완전하게 지키게 해 주셔서 감사합니다. 또한 예수님을 우리 죄를 위한 희생 제물로 받으시고 다시 살아나게 해 주셔서 감사합니다. 우리는 하나님의 사랑을 받을 자격이 없는 자들이지만 하나님은 우리에게 하나님의 사랑을 먼저 보여 주셨습니다. 우리가 하나님을 믿고 순종하게 해 주세요. 예수님의 이름으로 기도합니다. 아멘.

적용

TIP 설교 도입이나 적용으로 활용하거나 영상을 본 뒤 소그룹에서 풍성한 대화를 이어 갈 수 있습니다.

DVD 적용 예화 영상(지도자용 팩)을 보여 준다.

넬은 신발을 깨끗하게 하려고 어떻게 노력했나요? 죄는 우리를 어떻게 더럽게 만들었나요? 우리는 스스로를 깨끗하게 할 수 있나요? 하나님은 하실 수 있나요? 그렇다면 어떻게 하실 수 있나요? 질문이 많았지요? 매우 중요한 문제이기 때문이에요.

사람이 착한 일을 한다고 해서 거룩해지는 것은 아니에요. 성경은 예수님을 따르는 모든 사람은 거룩하다고 선언해요. 믿는 자들인 우리가 거룩해진다는 것은 완벽해진다는 뜻은 아니에요. 하나님은 믿는 자들이 하나님의 목적에 따라 스스로를 거룩하게 구별해 하나님께 영광 돌리는 삶을 살 수 있게 하셨답니다.

가스펠 **소그룹**
(10~20분)

나침반

마음속에 새겨요

준비물 화이트보드, 보드마커, 보드 지우개

① 암송 구절을 화이트보드에 쓴다.

② 아이들에게 암송 구절을 크게 읽게 한 뒤 인도자가 그중 한두 단어를 지워 빈칸으로 만든다.

③ 아이들에게 중간중간 비어 있는 암송 구절을 읽어 보라고 한다.

④ 글자가 남지 않을 때까지 게임을 계속한다.

— 암송 구절을 통해 하나님이 거룩하시다는 것을 알 수 있어요. 우리는 예수님을 통해 하나님의 거룩하심을 세상에 전할 수 있어요.

보물 지도

성경 퀴즈에 답해요

준비물 성경

① 히브리서 10장 1~4절, 11~18절을 크게 읽어 준다. 자원하는 아이에게 성경 구절을 읽게 해도 좋다.

② 아이들에게 레위기에서 배운 대속죄일과 히브리서에서 읽은 예수님의 죽음과 부활의 이야기를 비교해 보게 한다.

③ 퀴즈를 내면 성경에서 답을 찾아 발표하는 시간을 갖는다.

1 대속죄일에 죽은 동물은 무엇인가요?

제사장의 죄를 위해서는 수송아지, 백성의 죄를 위해서는 염소 (레 16:11, 15)

2 우리의 죄를 위해 희생 제물이 되신 분은 누구이신가요?

예수님 (히 10:12)

3 대속죄일은 얼마 만에 한 번씩 드려야 했나요?

일 년에 한 번 (레 16:34; 히 10:11)

4 희생 제물이 되신 예수님은 몇 번 죽으셨나요?

한 번 (히 10:14)

5 대속죄일에 백성의 죄를 위해 희생 제사를 드린 사람은 누구인가요?

제사장 (레 16:32)

6 대속죄일에 대제사장은 어디로 들어갔나요?

지성소 (레 16:17)

7 오늘날 그리스도인들은 속죄를 위해 희생 제사를 드려야 하나요?

아니다, 예수님이 희생 제물이 되셔서 우리의 모든 죄를 한 번에 영원히 가져가셨기 때문이다 (히 10:14~18)

8 예수님은 지금 어디에 계신가요?

하나님 우편에 계신다 (히 10:12)

탐험하기

하늘로, 하나님께로

준비물 학생용 교재 36쪽, 연필이나 색연필

번제단에 놓인 번제물이 하나님께 잘 드려지도록 하늘을 향한 미로를 통과해 보게 한다.

— 하나님은 항상 옳으시지만 우리는 죄로 인해 더 이상 옳지 않게 되었어요. 하나님은 이스라엘 백성이 죄를 고백하고 용서받을 수 있는 제사를 올리게 하셨어요. 하지만 우리를 위해서 하나님은 예수님을 보내 주셨어요. 이스라엘 백성은 죄를 지을 때마다 제사를 드려야 했지만 예수님은 우리의 죄를 한 번에 가져가셨지요. 예수님만이 우리의 죄를 용서해 주실 수 있어요.

희생 제사 빙고!

준비물 학생용 교재 37쪽, 연필

① 빙고 칸에 보기에 주어진 단어들을 무작위로 채워 넣게 한다.

② 가운데 십자가는 어느 방향으로든 빙고를 완성시켜 준다.

③ 먼저 세 줄을 완성하는 아이에게 앞으로 나와서 그중 한 줄에 있는 빙고 단어들로 오늘의 성경 이야기와 연관지어 문장을 만들어 보도록 한다.

계산 끝! *

준비물 **흰색 종이, 연필**

① 아이들에게 흰색 종이를 나누어 준 뒤 이번 주에 지은 죄들을 적어 보라고 한다.

② 죄는 하나님의 법을 어기는 것이라고 설명해 주고, 적을 수 있는 시간을 충분히 준다.

예) 거짓말하는 것, 부모님 말씀에 불순종하는 것, 나쁜 말을 하는 것, 다른 사람의 물건을 탐내는 것, 하나님 이외의 것을 더 사랑하는 것, 이기적으로 행동하는 것 등.

③ 자신의 죄를 하나님께 기도로 고백하게 한다.

— 여러분이 적은 내용을 보세요. 우리의 죄는 우리를 거룩하신 하나님으로부터 갈라놓아요. 오늘 우리는 하나님이 이스라엘 백성에게 희생 제사를 드리기 위한 규칙을 주셨다는 것을 배웠어요. **하나님은 거룩하시기 때문에 죄에 대해서 희생 제물을 요구하세요.** 이제 종이를 구겨서 제게 주세요. 죄를 적은 종이를 구겨서 인도자에게 주면 흰색 종이로 바꾸어 준다. 예수님은 십자가에서 우리의 죄를 위해 한 번에 영원한 희생 제사를 드리셨어요. 예수님은 결코 죄가 없으셨어요! 그러나 우리의 죄를 대신해 벌을 받으셨지요. 우리가 예수님을 믿을 때 하나님은 우리의 죄를 용서하시고 우리에게 영원한 생명을 주세요. 우리는 예수님과 함께 영원히 살 수 있어요!

멀리하기 *

준비물 **컬러 테이프, 종이 뭉치, 타이머**

① 아이들을 두 팀으로 나누고 컬러 테이프를 이용해 중앙선을 만든 뒤 여러 개의 종이 뭉치를 양쪽에 흩어 놓는다.

② 아이들을 중앙선을 중심으로 마주 보고 세운다.

③ 인도자가 "시작!"을 외치면 아이들은 상대편 진영으로 종이 뭉치를 던져야 한다. 이때 타이머를 2분에 맞추어 놓는다.

④ 시간이 종료되면 각 진영에 놓인 종이 뭉치의 개수를 센다. 더 적은 팀이 승리한다. 시간 여유가 있으면 여러 번 반복한다.

— 우리는 지난 몇 주 동안 하나님의 거룩하심에 대해 이야기했어요. 이 게임에서 여러분은 종이 뭉치를 상대편 진영으로 보내려고 했어요. 자기 주위에 있는 종이 뭉치를 없애려고 했지요.

하나님은 거룩하셔서 죄와 함께 계실 수 없어요. 또한 **하나님은 거룩하시기 때문에 죄에 대해서 희생 제물을 요구하세요.** 구약 시대의 사람들은 희생 제사를 드려서 자신의 죄의 대가를 치렀어요. 예수님은 십자가에서 죽으심으로 우리의 죄에 대해 한 번에 영원한 희생 제물이 되셨답니다.

보물 상자

나만의 기록장

준비물 **학생용 교재 38쪽, 연필**

① 로마서 12장 1절을 읽고 적어 보게 한다.

② 하나님을 기쁘시게 할 수 있는 방법을 생각해 보고 글로 표현하게 한다.

— 예수님은 십자가에서 우리를 위해 죽으심으로 한 번에 영원한 희생 제물이 되셨어요. 따라서 우리는 우리의 죄를 위해 희생 제물을 드릴 필요가 없답니다. 대신 성경은 우리 자신을 산 제물로 하나님께 드리라고 말해요. 우리는 우리 삶을 통해 우리에게 큰 사랑을 보여 주신 하나님께 감사드릴 수 있어요. 우리는 하나님을 기쁘시게 하는 삶을 살 수 있어요!

메시지 카드

이번 주 메시지 카드로 부모님과 함께 오늘 배운 성경 이야기를 나누어 보라고 한다.

기도

하나님, 우리가 스스로 없앨 수 없는 죄를 예수님을 통해 해결해 주셔서 감사합니다. 오직 예수님만이 우리의 죄에 대한 문제를 해결해 주실 수 있습니다. 우리가 이 땅에서 살아갈 때 거룩하신 하나님을 따라서 살아갈 수 있도록 도와주세요. 예수님의 이름으로 기도합니다. 아멘.

10

오직 하나님만 예배해요

신 1장, 3:23~4:40

단원 암송

나는 너희의 하나님이 되려고
너희를 애굽 땅에서 인도하여 낸 여호와라
내가 거룩하니 너희도 거룩할지어다(레 11:45).

성경의 초점

누가 하나님의 법을 완전하게 지킬 수 있나요?
예수님 외에는 아무도 없어요.

본문 속으로

하나님은 아브라함과 그의 후손과 맺은 언약을 신실하게 지키셨습니다. 하나님은 이스라엘 백성을 하늘의 별같이 많게 하셨고(신 1:10), 가나안 땅 앞으로 인도하셨습니다(신 1:8). 그들이 해야 할 일은 약속의 땅을 정복하는 것이었습니다.

그러나 이스라엘 백성은 거부했고, 열두 명의 정탐꾼들을 보냈습니다. 정탐꾼들의 보고를 통해 가나안 족속에 대한 설명을 들은 그들은 두려워 떨었습니다. 마찬가지로 정탐을 다녀왔던 여호수아와 갈렙이 하나님이 보호하실 것이라고 주장했지만 이스라엘 백성은 하나님을 신뢰하지 않았습니다.

그러자 하나님은 이스라엘 백성을 벌하셨습니다. 그들은 광야에서 40년 동안 유리했습니다. 믿지 않은 사람들은 아무도 약속의 땅에 들어가지 못했습니다. 하나님께 불순종한 모세도 들어가지 못했습니다. 여호수아와 갈렙, 그리고 광야에서 태어나고 자란 자손만이 그 땅에 들어갈 수 있었습니다. 이스라엘 백성이 가나안 땅의 경계에 이르렀을 때 출애굽을 경험한 성인들은 대부분 사망한 상태였습니다. 아이들은 성인으로 자랐고, 대부분의 사람들은 광야에서 태어난 이들이었습니다. 신명기의 첫 부분에서 모세의 설교를 들은 새로운 세대는 바로 이들을 가리킵니다.

모세는 이스라엘의 역사를 회고하며 이스라엘 백성에게 하나님을 신뢰하도록 격려했습니다. 신명기 4장은 이스라엘의 새로운 세대를 향한 모세의 명령을 기록하고 있습니다. 모세는 이스라엘 백성에게 하나님께 순종할 것과 이스라엘의 역사를 기억해 우상 숭배를 피할 것을 명령했습니다. 모세는 지금까지 이런 큰 일이 있었는지 상고해 보라고 말했습니다(신 4:32). "이것을 네게 나타내심은 여호와는 하나님이시요 그 외에는 다른 신이 없음을 네게 알게 하려 하심이니라"(신 4:35).

모세는 이스라엘 백성에게 하나님께 순종하라고 명령했습니다. 또한 오직 하나님만 예배하라고 했습니다. 하나님만 유일한 진짜 신이시기 때문입니다. 주변 민족들은 다신교(여러 신을 믿음)나 단일 신교(여러 신을 믿는데 그중 한 신을 주신으로 섬김) 사상을 가지고 있었지만 성경은 하나님이 한 분이심을 단언합니다(신 6:4~9).

● ● 티칭 포인트

아이들에게 모세가 전한 하나님의 말씀을 가르쳐 주면서, 우리가 예수님을 믿으면 하나님으로부터 영원한 생명을 얻는다는 사실을 강조해 주십시오. 우리는 유일한 진짜 신이신 하나님께 순종해야 한다고 말해 주십시오.

주 제

오직 하나님만 진짜 신이시며,
하나님 외에는 아무도 없어요.

가스펠 링크

우리는 유일한 진짜 신이신 하나님만 예배해야 해요. 하나님의 아들이신 예수님을 믿으면 영원한 생명을 얻을 수 있어요.

오직 하나님만 예배해요 신 1장, 3:23~4:40

모세와 이스라엘 백성은 광야에서 40년을 살았어요. 모세가 이집트의 노예 생활에서 그들을 구해 냈을 때 어린이였던 사람들은 성인이 되어 그 모든 시간을 기억했어요. 젊은 사람들은 광야에서 태어나 부모님과 할아버지, 할머니로부터 하나님이 이스라엘 백성에게 하신 일에 대해 들으며 자랐어요.

마침내 이스라엘 백성은 하나님이 그들에게 주겠다고 하신 약속의 땅 앞에 도착했어요. 이제 나이가 아주 많이 든 모세는 이스라엘 백성에게 새로운 보금자리가 될 약속의 땅에 들어가기 전에 들어야 할 하나님의 말씀을 전해 주었어요.

먼저, 모세는 왜 이스라엘 백성이 광야에서 오랫동안 살게 되었는지를 떠올려 주었어요. "오래전에 하나님은 우리에게 아브라함과 이삭과 야곱, 그리고 후손인 우리에게 약속하신 땅으로 들어가라고 말씀하셨습니다. 그 땅은 가나안입니다. 열두 명의 정탐꾼들이 약속의 땅을 정탐한 후 하나님이 우리에게 주시는 땅이 좋더라고 이야기했습니다. 그러나 우리는 그 땅에 사는 사람들이 두려워 들어가지 않으려고 했습니다. 하나님은 우리를 여기까지 인도하셨지만, 우리가 하나님을 신뢰하지 않았습니다. 따라서 하나님은 하나님께 불순종한 사람은 약속의 땅에 들어가지 못한다고 말씀하셨습니다. 저도 들어가지 못하게 되었습니다. 하나님을 완전히 믿은 여호수아와 갈렙, 그리고 우리의 자녀들만이 약속의 땅에 들어가게 될 것입니다. 광야에서 40년을 보내는 동안 아기들이 태어났고, 어린이들은 성인이 되었고, 하나님께 불순종한 사람들은 죽었습니다. 이제 하나님의 백성이 약속의 땅에 들어갈 때가 되었습니다. 하나님은 여호수아를 지도자로 세우라고 하셨습니다. 이제 여호수아가 여러분을 약속의 땅으로 인도할 것입니다."

다음으로, 모세는 이스라엘 백성에게 하나님의 명령을 떠올려 주었어요. "약속의 땅에 들어가면 하나님의 규칙을 지키고, 하나님이 여러분에게 하신 일들을 기억하십시오. 그리고 자녀들과 손자들에게 가르치십시오." 모세는 경고의 말씀도 전했어요. "여러분을 위해 우상을 만들지 마십시오. 여러분이 만든 것을 예배하거나 하나님이 만드신 어떤 것이라도 예배하지 마십시오. 오직 하나님만 예배해야 합니다. 만약 옳지 않은 일을 행하면 하나님이 여러분을 여러 민족 중에 흩으실 것입니다. 그러나 하나님은 여러분을 떠나지 않으실 것입니다. 여러분이 하나님을 찾으면 만날 수 있을 것입니다. 하나님의 언약을 잊지 않으실 것입니다. 하나님은 긍휼의 하나님이십니다."

모세는 이스라엘 백성에게 하나님이 세상을 창조하신 이후부터 행하신 모든 일을 떠올려 주었어요. "기억하십시오. 오직 하나님만 진짜 신이시며, 하나님 외에는 아무도 없습니다. 하나님은 천지만물 가운데 계십니다. 하나님께 순종하면 하나님이 주신 땅에서 오래 살게 될 것입니다."

●● 가스펠 링크

모세는 이스라엘 백성에게 하나님께 순종하라고 말했어요. 유일한 진짜 신이신 하나님만 예배해야 한다고 말했어요. 우리는 하나님의 아들이신 예수님을 믿으면 영원한 생명을 얻을 수 있어요. 그리고 우리가 예수님께 순종하는 이유는 예수님이 하나님이시기 때문이에요.

가스펠 준비

(10~20분)

환영

도착하는 아이들을 반갑게 맞이하고 헌금, 출석, QT 등을 확인하며 격려한다. 새 친구가 있다면 소개한다. 아이들과 함께 지난주에 있었던 일 중에서 가장 좋았던 기억을 나눈다. 자발적으로 대화에 참여하도록 이끈다.

예) "혹시 지난주에 기억에 남는 좋은 일이 있었나요?", "지난주에 친구들에게 자랑하고 싶은 특별한 일이 있었나요?" 등.

마음 열기

내 기억의 끝은? *

① 아이들에게 기억력 테스트를 실시한다. "어제 아침에 무엇을 먹었나요?", "어젯밤에 몇 시간을 잤나요?", "마지막으로 이야기한 사람은 누구인가요?" 등 지난 일들을 물어보고 답하게 한다.

② 기억해야 할 시기를 조금 더 오래된 과거에 놓고 질문한다.

예) "작년 생일에 어떤 음식을 먹었나요?", "한 달 전 오늘 몇 시간을 잤나요?", "이번 달에 다섯 번째로 이야기한 사람은 누구인가요?" 등.

— 여러분은 최근에 일어난 일은 떠올렸지만 예전 일들은 잘 기억하지 못했어요. 그 이유가 무엇일까요? 오늘의 성경 이야기는 이스라엘 백성이 무엇인가를 잘 기억하지 못했던 사건에 대해 우리에게 알려 주어요.

시력 테스트 *

DVD 준비물 기억 그림(113쪽 또는 지도자용 팩), 연필, 종이, 타이머

① 그림을 책상 위에 펼쳐 놓거나 벽에 붙여 놓는다.

② 아이들에게 그림을 보여 주며 20초 동안 샅샅이 살펴보라고 말해 준다.

③ 20초가 지나면 그림을 뒤집어 놓고, 아이들에게 연필과 종이를 나누어 준다.

④ 질문에 대한 답을 순서대로 적으라고 한다.

예) 1. 모세의 베개는 무슨 색이었나요? (보라색)

2. 소녀의 바구니에는 메추라기가 몇 마리 들어 있었나요? (4마리)

3. 팔짱을 끼고 있는 사람은 누구였나요? (파라오)

⑤ 그림을 다시 보여 주면서 정답을 확인하게 한다.

— 그림을 다 떠올리기가 쉽지 않았지요? 오늘의 성경 이야기에서 우리는 하나님이 이스라엘 백성에게 기억하라고 하신 한 가지 사실을 배울 거예요. 그 사실은 바로 **오직 하나님만 진짜 신이시며, 하나님 외에는 아무도 없다**는 거예요.

가스펠 설교
(15~30분)

들어가기

준비물 배낭, 도시락

배낭을 메고 도시락을 들고 들어온다.

아지트에 다시 오신 여러분을 환영합니다! 아빠와 제가 아지트를 만든 지도 벌써 한 달이 넘었어요. 아지트가 생긴 뒤로 제 삶이 정말 많이 달라졌어요. 예전에는 방에서 많이 놀았는데 이제는 여기로 오거든요. 친구들도 같이 놀고요. 아! 따뜻한 날에는 여기 나와서 잠도 잔답니다.

제 아지트가 멋지기는 하지만 노예 생활에서 벗어나 달라진 이스라엘 백성의 삶과는 비교도 안 되지요. 오늘의 성경 이야기에서 하나님은 이스라엘 백성에게 그들의 삶이 얼마나 바뀌었는지 떠올려 주셨어요. 하나님은 이스라엘 백성을 이집트의 노예 생활에서 구하셨고, 광야에서 물과 양식을 주셨으며, 순종해야 할 규칙을 주셨답니다.

연대표

오늘의 성경 이야기는 지난주 성경 이야기로부터 40년 정도 지났을 때 일어난 사건에 대해 우리에게 알려 주어요. 연대표를 가리킨다. 이스라엘 백성은 성막을 짓는 방법과 성막에서 어떻게 희생 제사를 드려야 하는지에 대한 규칙을 하나님께 받았어요. 그들이 왜 희생 제사를 드려야 했는지 기억하는 친구가 있나요? 아이들의 대답을 기다린다. 그래요, 하나님을 찬양하고 죄를 고백하기 위해서예요. 하나님의 백성 중에 하나님의 법을 완전하게 지킬 수 있는 사람이 있을까요? 없어요! 그래서 이스라엘 백성도 죄를 용서받기 위해 희생 제사를 드려야 했답니다. **누가 하나님의 법을 완전하게 지킬 수 있나요? 예수님 외에는 아무도 없어요.**

성경의 초점

2단원의 '성경의 초점' 질문은 **"누가 하나님의 법을 완전하게 지킬 수 있나요?"**예요. 오늘의 성경 이야기에서 모세는 이스라엘 백성에게 하나님이 그들을 노예 생활에서 구하시고 광야에서 돌보신 일에 대해 이야기했어요. 또한 그럼에도 불구하고 이스라엘 백성이 하나님께 순종하지 않은 것도 떠올려 주었지요. 이스라엘 백성은 약속의 땅으로 들어가라는 하나님의 말씀에 순종하지 않았거든요. 그들은 하나님이 약속을 지키실 만큼 능력 있는 분이시라는 것을 믿지 않았어요. 이스라엘 백성은 죄인들이었어요. 우리처럼요.

누가 하나님의 법을 완전하게 지킬 수 있나요? 예수님 외에는 아무도 없어요. 이스라엘 백성은 광야에서 나이가 들어 죽기도 했어요. 아이들은 어른이 되었지요. 광야에서 태어나서 자란 사람들도 있었어요. 그들을 '새로운 세대'라고 부를 수 있어요. 하나님은 모세를 통해 새로운 세대에게 하나님의 법을 다시 한 번 떠올려 주셨어요.

하나님은 이스라엘 백성에게 하나님의 법의 중요성을 알려 주셨지만 그들은 여전히 하나님의 법을 완전하게 지키지 못했어요. 우리 모두는 하나님의 법을 완전하게 지킬 수 없어요. 우리에게는 예수님이 필요해요. 예수님은 우리를 위해 하나님의 법을 완전하게 지키셨답니다.

성경 이야기

DVD 신명기 1장, 3~4장을 펴고, 설교 영상(지도자용 팩)을 보여 주거나 이야기 성경을 들려준다.

모세는 광야에서 태어난 새로운 세대에게 하나님이 광야에서 그들을 돌보셨던 놀라운 일들에 대해 이야기했어요. **오직 하나님만 진짜 신이시며, 하나님 외에는 아무도 없다**고 말했지요. 그리고 모세는 이스라엘 백성에게 하나님께 순종하면 하나님이 주신 땅에서 오래 살게 될 것이라고 말해 주었어요. 하나님은 유일한 진짜 신이신 하나님만 예배하라고 명령하셨어요. 우리는 하나님의 아들이신 예수님을 믿음으로 영원한 생명을 얻을 수 있어요.

복/습/질/문

오늘의 성경 이야기에는 많은 내용이 들어 있어요. 함께 복습해 보아요.

1. 모세와 이스라엘 백성은 광야에서 얼마나 많은 시간을 보냈나요?
   40년 (신 2:7)
2. 열두 정탐꾼들이 약속의 땅을 다녀온 후 이스라엘 백성의 반응은 어떠했나요?
   두려워해 들어가지 않으려고 했다 (신 1:26~33)
3. 이스라엘 백성이 지키지 않았던 계명은 무엇인가요?
   너를 위하여 새긴 우상을 만들지 말고 … 섬기지 말라 (신 5:8~9)
4. 모세는 이스라엘 백성이 하나님의 법을 지키지 않으면 어떻게 될 것이라고 말했나요?
   하나님이 그들을 여러 민족 중에 흩으실 것이다 (신 4:25~27)
5. **누가 하나님의 법을 완전하게 지킬 수 있나요?**
   예수님 외에는 아무도 없어요.

모세조차도 약속의 땅에 들어가지 못했어요. 모세가 죽은 후 여호수아가 새로운 세대를 약속의 땅으로 인도했지요(민 20:12). 오늘의 성경 이야기에서 이스라엘 백성이 저지른 실수를 들을 때 '이스라엘 백성은 정말 어리석어'라는 생각이 들었나요? 그렇다면 '나도 이스라엘 백성처럼 될 수 있어! 나도 죄인이니까'라고 생각하기를 바라요. 그리고 예수님을 보내셔서 하나님께 완전하게 순종하게 하신 하나님께 감사해요.

복음 초청

DVD 성경과 21쪽 복음 초청 가이드를 이용해서 아이들에게 그리스도인이 되는 법을 설명해 준다. 따로 상담해 줄 사람을 정해 주고 궁금한 점이 있으면 물어보도록 격려한다.

이 시간 예수님을 마음에 모시고 싶은 친구는 함께 기도해요.

기도

하나님, 하나님만 유일한 진짜 신이시고, 긍휼의 하나님이십니다. 하나님은 약속을 지키시는 분이며, 천지만물 가운데 계시는 분입니다. 우리가 하나님을 믿고 우리의 평생 동안 하나님을 따를 수 있도록 도와주세요. 하나님이 우리에게 행하신 모든 선한 일을 기억할 수 있게 해 주세요. 예수님을 보내 주셔서 우리를 위해 하나님의 법에 완전하게 순종하게 해 주셔서 감사드립니다. 예수님의 이름으로 기도합니다. 아멘.

적용

TIP 설교 도입이나 적용으로 활용하거나 영상을 본 뒤 소그룹에서 풍성한 대화를 이어 갈 수 있습니다.

DVD 적용 예화 영상(지도자용 팩)을 보여 준다.

자신이 받은 선물이 하나뿐인 특별한 티셔츠였다면 잭은 그 선물을 더 좋아했을까요? 모든 사람이 똑같은 티셔츠를 입고 있다면 선물로 받은 티셔츠가 얼마나 가치가 있는지 어떻게 알 수 있을까요?

하나님은 특별한 분이세요. 하나님 같은 존재는 없어요. 하나님께 우리의 사랑을 어떻게 표현할 수 있을까요? 어떤 사람들은 몇백 개 혹은 몇천 개의 우상을 섬기기도 해요. 그러나 꼭 기억하세요. **오직 하나님만 진짜 신이시며, 하나님 외에는 아무도 없답니다!**

가스펠 **소그룹**

(10~20분)

나침반

서로서로 말해요

준비물 2단원 암송(108쪽)

① 아이들과 함께 암송 구절을 두 번 읽는다.

② 둘씩 짝을 지은 뒤 짝과 번갈아 가면서 암송 구절을 말하게 한다.

—— 하나님은 왜 하나님의 백성이 거룩하기를 원하셨나요? 아이들의 대답을 기다린다. 맞아요, 하나님이 거룩하시기 때문이지요. 하나님의 백성이 거룩해지면 세상은 하나님이 어떤 분이신지 보고, 깨닫고, 하나님을 예배하게 될 거예요. **오직 하나님만 진짜 신이시며, 하나님 외에는 아무도 없어요.**

보물 지도

몸으로 표현해요

DVD 준비물 성경, 기억 그림(113쪽 또는 지도자용 팩), 셀로판테이프, 가위

① 아이들과 함께 성경에 나온 사건들을 순서대로 복습하는 활동을 한다.

② 기억 그림을 잘라 아이들의 이마에 붙인다.

③ 아이들에게 사건들이 일어난 순서대로 한 줄로 서라고 한다.

④ 아이들의 수가 열 명 이상인 경우, 그림을 받지 못한 아이들에게는 이마에 그림을 붙이는 도우미 역할을 맡긴다.

⑤ 그림을 따라가면서 질문을 던지며 오늘의 성경 이야기를 복습한다.

1 아기 모세를 강에서 발견한 사람은 누구인가요?

파라오의 딸 (출 2:5~6)

2 하나님은 떨기나무 불꽃 가운데서 모세에게 무슨 말씀을 하셨나요?

이스라엘 백성을 이집트에서 인도해 하나님이 지시하신 땅으로 가라고 하셨다 (출 3:7~10)

3 파라오가 이스라엘 백성을 보내기를 거절하자 가장 먼저 무슨 일이 일어났나요?

하나님이 나일 강을 피로 변하게 하셨다 (출 7:14~20)

4 개구리 재앙은 나일 강이 피로 바뀐 재앙 이전에 일어났나요, 이후에 일어났나요?

이후에 일어났다 (출 8:1~6)

5 파리 재앙 이후에 파라오는 이스라엘 백성에게 가라고 말했나요?

그렇다, 그러나 파라오는 곧 마음을 바꾸었다 (출 8:28~32)

6 하나님이 보내신 날씨 재앙은 무엇인가요?

우박 (출 9:13~35)

7 하나님은 이집트 군대를 어떻게 벌하셨나요?

이집트 군대는 이스라엘 백성을 쫓아 홍해 가운데로 들어왔다. 그때 하나님이 물을 다시 흐르게 해 그들을 다 덮어 하나도 남지 않게 하셨다 (출 14:23~28)

8 광야에서 하나님은 이스라엘 백성을 어떻게 먹이셨나요?

아침에는 만나를, 저녁에는 메추라기를 보내셨다 (출 16:13~15)

9 하나님이 하나님과 이웃을 사랑하기 위해 이스라엘 백성에게 주신 계명은 무엇인가요? 십계명 (출 20:1~17)

10 이스라엘 백성은 왜 금송아지를 경배했나요?

자신들을 인도할 신이 필요해서 (출 32:1)

—— 모세는 시내 산으로 올라가 내려오지 않았고, 이스라엘 백성은 모세에게 무슨 일이 일어났는지 알지 못했어요. 그들은 아론에게 "우리를 인도할 신을 만들어 주십시오"라고 말했고, 금송아지를 만들어 경배했어요(출 32:1~4).

모세는 이스라엘 백성에게 하나님의 신실하심을 기억하고 하나님만 예배하라고 강조했어요. **오직 하나님만 진짜 신이시며, 하나님 외에는 아무도 없어요.** 이 사실을 잊어버리면 우리도 이스라엘 백성처럼 하나님을 잊고 우리의 예배를 받을 자격이 없는 다른 것들을 예배하게 될 거예요.

탐험하기

지시 따라 앞으로!

준비물 학생용 교재 40쪽, 연필

① '출발'에서 시작해 10과의 주제를 따라 전진하며 선을 긋게 한다.

② 만나는 글자를 모아 빈칸에 적은 후 다 같이 큰 소리로 읽는다.

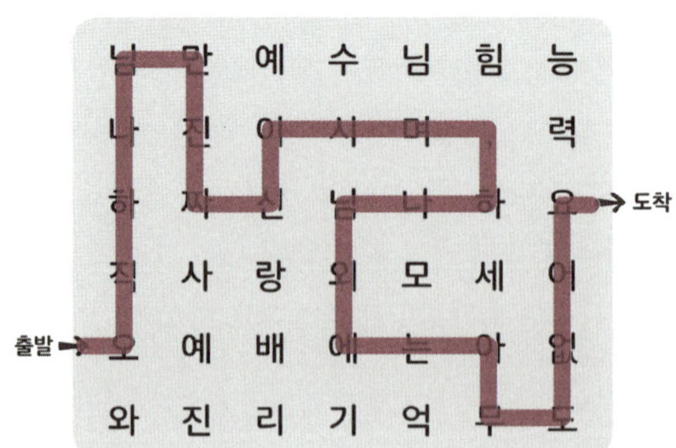

— 우리는 하나님만 유일한 진짜 신이시라는 것을 기억하고 하나님만 예배해야 해요. 이 사실을 꼭 기억하세요.

하나님처럼

준비물 학생용 교재 41쪽, 연필, 사인펜

① 파란색, 노란색, 빨간색에만 색을 덧칠해 글자를 발견해 보게 한다.

② 발견한 글자를 빈칸에 채워 넣어 레위기 11장 45절을 완성하게 한다.

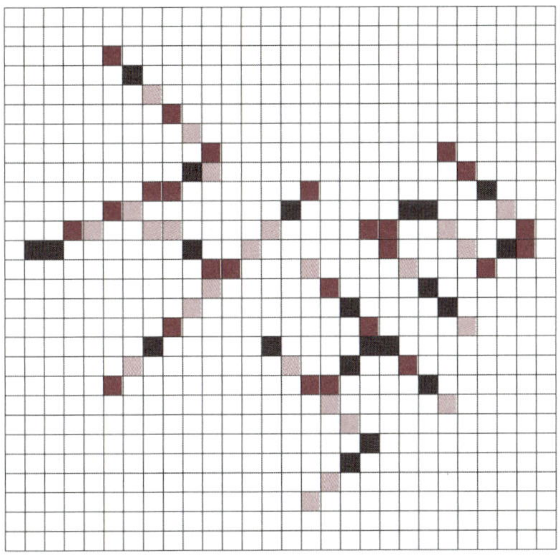

나는 너희의 하나님이 되려고
너희를 애굽 땅에서 인도하여 낸 여호와라
내가 거룩 하니 너희도 거룩 할지어다

레위기 11장 45절

— 이스라엘 백성이 하나님을 따라 거룩해야 하는 이유는 하나님이 우리의 하나님이 되시기 때문이에요. 하나님은 하나님이 거룩하신 것처럼 이스라엘 백성도 거룩하기를 원하셨어요. 하나님은 아들이자 하나님이신 예수님을 보내셔서 우리도 이스라엘 백성처럼 하나님의 백성이 되게 하셨어요. **오직 하나님만이 진짜 신이시며, 하나님 외에는 아무도 없어요.**

아! 헷갈려 *

① 아이들에게 이제부터 말이 되지 않는 행동을 지시할 테니 귀 기울여 듣고, 그 행동을 기억하라고 말한다.

② 쉽게 기억하기 어려운 행동을 직접 보여 주며 설명한다.

예) "선생님이 '손'이라고 말하면 발을 구르고, '발'이라고 말하면 제자리에서 한 바퀴 도세요. 선생님이 '몸'이라고 말하면 손뼉을 치세요. 이해했나요?" 등.

③ 아이들에게 "손이요", "발이요", "몸이요" 등 지시를 내린다.

④ 동작을 익힐 때까지 손과 발만 사용해 연습 게임을 진행해도 좋다.

⑤ 시간 여유가 있다면 게임을 반복한다. 새로운 행동을 추가하거나 자원하는 아이를 앞으로 나오게 해 지시를 내리게 해도 좋다.

— 어떤 지시에 어떤 행동을 해야 하는지 기억하는 것이 쉽지 않았지요? 이스라엘 백성에게도 하나님이 행하신 일을 기억하는 것은 쉽지 않았어요. 그러나 하나님은 그들이 하나님이 행하신 놀라운 일들과 하나님이 주신 법을 기억하기 원하셨어요. 하나님은 **오직 하나님만 진짜 신이시며, 하나님 외에는 아무도 없다**는 사실을 이스라엘 백성이 떠올리기 원하셨어요.

보물 상자

나만의 기록장

준비물 학생용 교재 42쪽, 연필

① 오늘의 성경 이야기 중에서 떠오르는 것 두세 가지를 적게 한다.

② 이번 주에 하나님께 사랑을 표현하기 위해 무슨 일을 할 수 있을지 이야기를 나눈 뒤 글로 표현하는 시간을 갖는다.

— 하나님은 언약을 지키는 선하신 하나님이에요. 우리는 하나님이 행하신 일들을 기억하고, 하나님만 예배해야 해요.

메시지 카드

이번 주 메시지 카드로 부모님과 함께 오늘 배운 성경 이야기를 나누어 보라고 한다.

기도

하나님, 유일한 진짜 신이신 하나님만 찬양하고 예배합니다. 우리가 오직 하나님만 예배하도록 우리의 마음을 지켜 주세요. 하나님의 말씀을 떠올리고 감사할 수 있도록 도와주세요. 예수님을 통해 영원한 생명을 얻게 해 주셔서 감사합니다. 약속을 지키시는 하나님을 신뢰합니다. 예수님의 이름으로 기도합니다. 아멘.

11

하나님의 언약을 기억해요

신 5:1~6:25, 8:1~11:1, 11:26~28

단원 암송

나는 너희의 하나님이 되려고
너희를 애굽 땅에서 인도하여 낸 여호와라
내가 거룩하니 너희도 거룩할지어다(레 11:45).

성경의 초점

누가 하나님의 법을 완전하게 지킬 수 있나요?
예수님 외에는 아무도 없어요.

본문 속으로

하나님은 모세를 통해 이스라엘 백성을 이집트에서 인도해 내신 후 광야에서 그들을 만나 주셨고, 언약을 맺으셨습니다. "세계가 다 내게 속하였나니 너희가 내 말을 잘 듣고 내 언약을 지키면 너희는 모든 민족 중에서 내 소유가 되겠고 너희가 내게 대하여 제사장 나라가 되며 거룩한 백성이 되리라 너는 이 말을 이스라엘 자손에게 전할지니라"(출 19:5~6).

하나님은 모세와 다섯 가지 언약을 맺으셨습니다. 첫째, 이스라엘 백성은 하나님의 소유가 될 것이다(출 19:5), 둘째, 이스라엘 백성은 하나님의 제사장 나라가 될 것이다(출 19:6), 셋째, 이스라엘은 거룩한 백성이 될 것이다(출 19:6), 넷째, 하나님은 이스라엘 백성을 대적들로부터 보호하실 것이다(출 23:22), 다섯째, 하나님은 이스라엘 백성에게 자신이 자비롭고 은혜롭고 노하기를 더디 하는 분임을 나타내실 것이다(출 34:6~7).

언약에 대한 하나님의 조건은 매우 명확합니다. "내가 오늘 명하는 모든 명령을 너희는 지켜 행하라"(신 8:1). "내가 오늘 네게 명하는 여호와의 명령과 법도와 규례를 지키지 아니하고 네 하나님 여호와를 잊어버리지 않도록 삼갈지어다"(신 8:11). "네가 만일 네 하나님 여호와를 잊어버리고 다른 신들을 따라 그들을 섬기며 그들에게 절하면 … 너희가 반드시 멸망할 것이라"(신 8:19).

신명기의 앞부분에서 이스라엘 백성은 약속의 땅의 경계에 있었습니다. 모세는 이스라엘 백성에게 하나님이 행하신 일들을 떠올려 주었습니다. 그는 하나님의 계명을 가르치고 하나님만 예배하라고 말했습니다. 믿음과 신뢰, 사랑을 통해 이스라엘 백성은 자비, 은혜, 용서의 축복을 받았습니다. 모세의 메시지는 분명했습니다. "기억하십시오!"

성경은 이스라엘 백성이 언약을 지키지 않았다고 말합니다(겔 16:59; 호 6:7). 그러나 하나님은 그들에게 자비를 보이셨습니다. 하나님의 새로운 언약은 순종이 아니라 이스라엘 백성의 마음의 중심을 중요하게 여겼습니다(렘 31:31~34).

주 제

하나님은 하나님의 백성에게
하나님의 언약을 떠올려 주셨어요.

가스펠 링크

하나님의 계획은 예수님을 보내
하나님의 백성을 죄에서 구원하시고
온 세상에 복을 주시는 거예요.

●● 티칭 포인트

하나님의 은혜를 우리의 순종으로 얻는 것이 아니라는 것을 아이들에게 알려 주십시오. 또한 우리의 불순종이 우리를 하나님으로부터 갈라놓을 수 없다는 것도 말해 주십시오. 하나님은 우리가 믿음으로 우리의 빈손을 하나님께 내어 드릴 때 우리를 축복하십니다.

하나님의 언약을 기억해요 신 5:1~6:25, 8:1~11:1, 11:26~28

"이스라엘이여, 제 말을 들으십시오!" 모세는 모든 이스라엘 백성을 불러 모았어요. 그들은 광야에서 하나님이 약속하신 땅으로 들어가기 직전이었지요. 하나님은 모세를 통해 이스라엘 백성에게 중요한 말씀을 전해 주셨어요. 모세는 "이스라엘이여, 오늘 제가 여러분에게 들려주는 하나님의 규칙과 법을 듣고, 배우고, 지켜 행하십시오"라고 말했어요. 모세는 하나님이 시내 산에서 이스라엘 백성과 언약을 세우신 일을 떠올려 주었어요. 하나님은 "너희가 내 말을 듣고 내 규칙에 순종하면 너희는 내 백성이 될 것이다"라고 말씀하셨지요.

하나님은 이스라엘 백성에게 십계명을 주셨어요. "너는 나 외에는 다른 신들을 네게 두지 말라", "너를 위하여 새긴 우상을 만들지 말고 … 섬기지 말라", "너는 네 하나님 여호와의 이름을 망령되게 부르지 말라", "안식일을 기억하여 거룩하게 지키라", "네 부모를 공경하라", "살인하지 말라", "간음하지 말라", "도둑질하지 말라", "네 이웃에 대하여 거짓 증거하지 말라", "네 이웃의 집을 탐내지 말라"예요.

모세는 이렇게 말했어요. "하나님은 모든 하나님의 법과 규칙을 가르쳐 정확히 지키게 하라고 말씀하셨습니다. 그러면 우리에게 복이 있을 것이며, 우리가 차지한 땅에서 오랫동안 살 것이라고 하셨습니다. 이스라엘이여, 들으십시오! 우리 하나님 여호와는 오직 한 분이십니다. 그러므로 마음과 뜻과 힘을 다해 하나님 여호와를 사랑하십시오. 이 말씀을 자녀들에게 잘 가르치되 집에 앉아 있을 때나 길을 걸을 때나 누울 때나 일어날 때 그들에게 말해 주십시오."

모세는 이스라엘 백성에게 하나님이 행하실 놀라운 일들에 대해 말해 주었어요. "하나님은 여러분을 가나안 땅으로 인도하겠다고 약속하셨습니다. 하나님은 그 땅을 여러분의 선조인 아브라함과 이삭, 야곱에게 주겠다고 약속하셨고 그 약속을 지키실 것입니다! 그러므로 약속의 땅에 들어가서도 하나님 여호와를 잊지 말고 하나님이 여러분에게 행하신 일을 기억하십시오. 여러분을 이집트의 노예 생활에서 구하신 하나님을 찬양하고, 오직 하나님만 예배하십시오." 모세는 그 땅에 살고 있는 크고 강한 사람들에 대해서도 이야기했어요. "그러나 하나님이 여러분보다 앞서서 건너가셔서 그들을 쫓아내실 것입니다."

그리고 모세는 가장 중요한 말씀을 전했어요. "여러분이 그 땅을 차지하게 되는 것은 여러분이 의롭기 때문이 아닙니다. 하나님이 아브라함과 이삭과 야곱에게 맹세하신 언약을 이루시려는 것입니다. 여러분은 목이 곧은 백성입니다." 마지막으로 모세가 말했습니다. "여러분의 하나님을 사랑하십시오. 여러분이 하나님의 명령을 지키면 복을 받을 것입니다. 그러나 하나님의 명령을 지키지 않으면 저주를 받게 될 것입니다."

●● 가스펠 링크

하나님은 아브라함과 이삭과 야곱에게 약속하신 땅을 주심으로 하나님의 약속을 지키셨어요. 약속의 땅 앞에 섰을 때 하나님은 하나님의 백성에게 하나님의 언약을 떠올려 주셨어요. 하나님은 이스라엘 백성에게 하나님께 순종하고 거룩하라고 명령하셨지만, 그들이 불순종하리라는 것도 알고 계셨지요. 하나님은 예수님을 보내 하나님의 백성을 죄에서 구하시고 온 세상에 복을 주실 계획을 이루고 계셨어요.

가스펠 **준비**

(10~20분)

환영

도착하는 아이들을 반갑게 맞이하고 헌금, 출석, QT 등을 확인하며 격려한다. 새 친구가 있다면 소개한다. 편안한 분위기에서 안부를 물으며 생일이나 특별한 날에 좋았던 기억을 떠올리며 이야기하는 시간을 갖는다. 자발적으로 대화에 참여하도록 이끈다.

예) "친구에게 가장 특별한 날은 언제였나요?", "그날이 특별하다고 느껴진 이유가 있나요?" 등.

마음 열기

내 이름과 동작을 기억해 주세요 *

① 아이들을 둥글게 앉힌 뒤, 한 명씩 나와 원 가운데 서서 자신의 이름을 소개하고 동작을 보여 주어야 한다고 말해 준다. 잠시 동안 자신을 소개하는 동작을 생각할 수 있는 시간을 준다.

② 게임은 앞에 소개한 친구들의 이름과 동작을 차례로 소개한 뒤 자신의 이름과 동작을 소개하는 식으로 진행된다고 알려 준다.

예) 첫 번째 아이 : "제 이름은 ○○○이고, 저는 이렇게 움직이는 것을 좋아해요!"
두 번째 아이 : "친구의 이름은 ○○○이고, ○○○는 이렇게 움직이는 것을 좋아해요! 제 이름은 ○○○이고, 저는 이렇게 움직이는 것을 좋아해요!"

③ 마지막 아이가 친구들의 이름과 동작을 모두 말하고 자기 소개를 마칠 때까지 게임을 계속한다. 인도자가 원 가운데 서서 첫 번째 아이부터 마지막 아이까지 이름과 동작을 소개하는 것으로 마무리한다.

TIP 아이들이 동작을 기억하기 힘들어하면 서로서로 돕게 한다.

— 친구들의 이름과 동작을 떠올리기가 어려웠나요? 기억하는 것은 어려운 일이에요. 일어난 일이 많을수록, 그리고 오래될수록 더 어렵지요. 오늘의 성경 이야기에서 **하나님은 하나님의 백성에게 하나님의 언약을 떠올려 주셨어요.**

나만의 뜀뛰기 규칙 *

준비물 색이 다른 도화지 6~10장, 박스 테이프

① 예배실 바닥에 박스 테이프를 이용해 도화지를 붙인다. 이때 뜀뛰기로 이동할 수 있는 간격을 넘지 않도록 조심한다.

② 자원하는 아이에게 한 발 뛰기 또는 다리 모아 뛰기로 원하는 대로 뜀뛰는 규칙을 만들게 한다.

③ 다음 아이는 앞 친구가 만든 규칙에 따라 뜀뛰기를 해야 한다. 앞 친구가 만든 규칙을 맞춘 아이만 자신만의 새로운 규칙을 만들 수 있다.

TIP 바닥재의 무늬를 이용해도 좋고 도화지를 코팅하면 찢어지는 것을 방지할 수 있다.

— 앞 친구가 만든 규칙을 떠올리는 것이 어려웠나요? 오늘 우리는 **하나님이 하나님의 백성에게 하나님의 언약을 떠올려 주신 이야기**를 배우게 될 거예요. 하나님은 "너희가 내 언약을 지키면 너희는 내 백성이 될 것이다"라고 말씀하셨어요.

가스펠 **설교**
(15~30분)

들어가기

준비물 책, 장난감, 바구니나 상자

책과 장난감이 들어 있는 바구니나 상자를 들고 들어온다.

여러분, 안녕하세요! 다시 만나서 반가워요. 아빠가 아지트를 깨끗하게 청소하면 오후에 아이스크림을 사 주신대요! 저는 버터 초코 칩 맛과 풍선껌 맛 아이스크림을 먹을 거예요. 맛있겠지요? 바구니나 상자를 내려놓는다.

아빠의 말씀은 오늘의 성경 이야기를 떠올려 주어요. 모세는 이스라엘 백성이 약속의 땅에 들어가기 직전에 그들을 모두 불러 모아 하나님이 그들과 맺으신 약속을 떠올려 주었어요. 하나님은 이스라엘 백성이 하나님께 순종하면 복을 받을 것이라고 말씀하셨지요. 그 복 중에 하나는 약속의 땅에서 오랫동안 사는 거예요. 제 생각에는 아이스크림보다 훨씬 좋은 것 같아요!

연대표

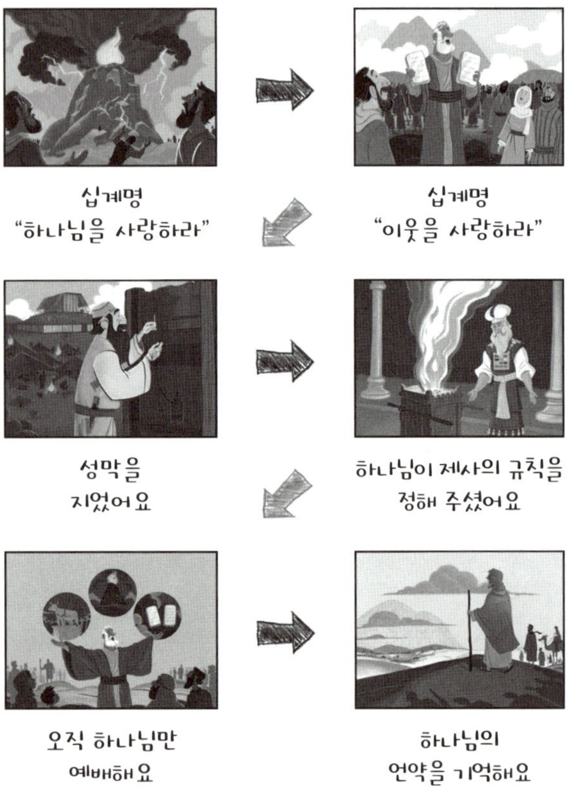

오늘의 성경 이야기는 지난주 성경 이야기에서 오랜 시간이 지난 뒤에 일어났어요. 모세는 이스라엘 백성에게 **오직 하나님만 진짜 신이시며, 하나님 외에는 아무도 없다**는 것을 기억하게 했어요. 연대표를 가리킨다. 모세가 전한 말은 하나님의 말씀이었어요. 말을 전한 사람은 모세였지만 하나님의 백성에게 하나님의 언약을 떠올려 주신 분은 하나님이셨답니다. 연대표에서 오늘의 성경 이야기를 가리킨다.

성경의 초점

여러분, 2단원 '성경의 초점'을 떠올려 보세요. 질문이 무엇인가요? 아이들의 대답을 기다린다. 맞아요, **"누가 하나님의 법을 완전하게 지킬 수 있나요?"**예요. 이 질문의 답도 기억하나요? 아이들의 대답을 기다린다. 그래요, **"예수님 외에는 아무도 없어요"**랍니다.

오늘의 성경 이야기에서 하나님은 하나님의 백성에게 하나님의 법을 다시 한 번 기억하게 하셨어요. 그 이유는 그들에게 부담을 주시기 위해서가 아니에요. 하나님의 법이 선하다는 것을 알려 주시고 우리가 사랑하는 마음으로 하나님의 법을 지키게 하시기 위해서예요.

성경 이야기

DVD 신명기 5~6장, 8장을 펴고, 설교 영상(지도자용 팩)을 보여 주거나 이야기 성경을 들려준다.

하나님은 모세를 통해 **하나님의 백성에게 하나님의 언약을 떠올려 주셨어요.** 하나님은 "너희가 내 말을 잘 듣고 내 언약을 지키면 너희는 모든 민족 중에서 내 소유가 될 것이다"(출 19:5 참조)라고 말씀하셨어요. 또한 하나님은 이스라엘 백성에게 하나님께 순종하라고 분명히 말씀하셨어요. "내가 오늘 너희에게 주는 모든 명령을 지켜라. 그러면 너희가 살 것이고, 수가 많아질 것이며, 너희 조상들에게 맹세한 약속의 땅에 들어가 차지하게 될 것이다"(신 8:1 참조). 하나님은 이스라엘 백성이 하나님을 잊어버리면 저주를 받을 것이라고 말씀하셨어요.

복/습/질/문

1 언약이란 무엇인가요?

특별한 약속

2 오늘의 성경 이야기의 시작 부분에서 이스라엘 백성은 어디 앞에 있었나요?

약속의 땅 (신 1:8)

3 하나님은 이스라엘 백성에게 하나님의 명령과 규칙과 법을 어떻게 하라고 하셨나요?

하나님의 명령과 규칙과 법을 행하라고 하셨다 (신 6:1)

4 하나님의 백성은 하나님의 언약에 대해 얼마나 자주 가르쳐야 하나요?

집에 앉았을 때에든지 길을 갈 때에든지 누워 있을 때에든지 일어날 때에든지, 즉 항상 (신 6:4~7)

5 하나님의 약속은 무엇이었나요?

이스라엘 백성을 약속의 땅 가나안으로 인도하겠다 (신 6:10)

6 하나님이 약속을 지키신 이유는 하나님의 백성이 의로웠기 때문인가요?

아니다, 하나님의 백성은 목이 곧은 백성이었다 (신 9:6)

7 하나님의 백성이 하나님의 명령에 순종하면 어떻게 되나요?

하나님께 복을 받는다 (신 11:26~28)

8 하나님의 백성이 하나님의 명령에 불순종하면 어떻게 되나요?

하나님께 저주를 받는다 (신 11:26~28)

9 누가 하나님의 법을 완전하게 지킬 수 있나요?

예수님 외에는 아무도 없어요.

여러분은 이스라엘 백성이 항상 하나님의 언약을 지켰다고 생각하나요? 아니에요. 그렇지만 하나님은 자비를 베푸셨지요. 하나님은 하나님의 아들이신 예수님을 통해 이스라엘 백성과 새로운 언약을 맺으셨어요. 예수님을 통한 새로운 언약은 하나님께 순종함으로써 받는 것이 아니에요. 하나님은 예수님을 믿는 자들에게 구원을 선물로 주셨답니다.

복음 초청

성경과 21쪽 복음 초청 가이드를 이용해서 아이들에게 그리스도인이 되는 법을 설명해 준다. 따로 상담해 줄 사람을 정해 주고 궁금한 점이 있으면 물어보도록 격려한다.

이 시간 예수님을 마음에 모시고 싶은 친구는 함께 기도해요.

기도

사랑하는 하나님, 예수님을 보내 주셔서 감사합니다. 예수님은 하나님의 법을 완전하게 지키셨습니다. 하나님의 약속을 지키셔서 우리의 죄를 용서해 주셔서 감사합니다. 우리는 하나님의 사랑을 받을 자격이 없지만 하나님은 하나님의 사랑을 우리에게 주셨습니다. 우리가 하나님을 신뢰하고 하나님의 명령에 순종하게 해 주세요. 항상 신실하신 하나님을 찬양합니다. 예수님의 이름으로 기도합니다. 아멘.

적용

TIP 설교 도입이나 적용으로 활용하거나 영상을 본 뒤 소그룹에서 풍성한 대화를 이어 갈 수 있습니다.

DVD 적용 예화 영상(지도자용 팩)을 보여 준다.

기억해야 할 중요한 일이 있을 때 여러분은 어떻게 하나요? 우리는 잘 잊어버리기 때문에 기억하려고 노력해야 해요! 하나님의 약속도 마찬가지랍니다. 하나님의 말씀을 암송하는 것이 왜 중요할까요? 어떻게 하면 성경 구절을 잘 외울 수 있을까요?

가스펠 **소그룹**

(10~20분)

나침반

헤쳐 모여!

① 기준을 정해 두 팀으로 나눈다.

예) "생일 날짜가 짝수인 아이들끼리, 홀수인 아이들끼리 모여 주세요", "남자아이는 왼쪽으로, 여자아이는 오른쪽으로 모이세요" 등.

② 빨리 모여서 둥글게 서서 암송 구절을 외치고, 먼저 앉은 팀이 승리한다.

③ 다른 기준을 정해서 팀을 나누어 게임을 계속한다.

— **하나님은 하나님의 백성에게 하나님의 언약을 떠올려 주셨어요.** 2단원 암송처럼 하나님은 거룩하시고, 하나님의 백성도 거룩하기를 원하세요. 하나님은 하나님의 백성이 하나님의 법에 순종하면 복을 받을 것이고, 불순종하면 저주를 받을 것이라고 말씀하셨어요. 예수님은 하나님께 완전하게 순종하셨고, 우리가 받아야 할 벌을 대신 받으셨어요. 예수님만이 우리를 하나님께로 인도하실 수 있답니다.

보물 지도

하나님의 약속

준비물 성경

① 성경을 읽기 전에, 하나님의 언약이 정확히 무엇인지 아이들에게 설명해 준다.

1. 이스라엘 백성은 하나님의 소유가 될 것이다(출 19:5).
2. 이스라엘 백성은 제사장 나라가 될 것이다(출 19:6).
3. 이스라엘 백성은 거룩한 백성이 될 것이다(출 19:6).
4. 하나님은 이스라엘 백성의 대적과 싸우실 것이다(출 23:22).
5. 하나님은 이스라엘 백성에게 자비롭고 은혜롭고 노하기를 더디 하고 인자와 진실이 많은 하나님이 되실 것이다(출 34:6~7).

② 네 명의 아이들에게 각각 말씀을 정해 주고(출 19:5 / 출 19:6 / 출 23:22 / 출 34:6~7), 차례대로 자신이 맡은 말씀을 큰 소리로 읽게 한다.

③ 출애굽기 19장 5~6절과 23장 22절을 인도자가 다시 읽는다. 읽기 전에 아이들에게 성경 구절의 첫 부분에 주목하라고 말한다.

— 출애굽기 19장 5~6절과 23장 22절은 '너희가 ~하면'이라고 되어 있어요. 이것은 조건을 나타내는 말이에요. 예를 들어, 엄마가 하시는 말씀 중에 "네 방을 정리하면 나가서 놀 수 있어"라는 말과 같아요. 먼저 어떤 행동을 해야만 그다음 일이 일어날 수 있는 것이지요. 이와 같이, 하나님은 이스라엘 백성이 하나님께 순종해야만 어떤 일을 하겠다는 조건이 있는 약속을 하셨어요.

하나님은 이스라엘 백성이 항상 순종할 것이라고 생각하셨을까요? 그렇지 않아요. 하나님은 자신이 자비롭고 은혜로운 하나님이라고 말씀하셨어요(출 34:6). 그리고 하나님은 악과 잘못과 죄를 용서하겠다고 말씀하셨답니다(출 34:7).

하나님은 이스라엘 백성이 하나님의 법을 다 지키지 못할 것을 아셨지만, 그들이 하나님의 법을 사랑하고, 하나님께 마음과 뜻과 힘을 다해 예배하기를 바라셨어요. 그것은 이스라엘 백성이 하나님을 신뢰하기를 원하셨다는 뜻이에요.

하나님은 오늘 우리에게도 같은 마음을 바라신답니다! 구약 성경에서 하나님은 이스라엘 백성이 메시아를 이 땅에 보내셔서 우리의 죄를 용서하실 하나님을 신뢰하기 원하셨어요. 우리가 예수님을 믿을 때 하나님은 우리를 받아 주세요. 구원에는 조건이 없답니다! 만약 하나님이 "너희가 선한 일을 하고 항상 순종한다면 영원한 생명을 주겠다"라고 말씀하셨다면 우리가 과연 구원받을 수 있을까요? 모든 사람은 죄인이에요. 우리는 하나님의 은혜를 받을 자격이 없는 사람들이지요. 우리가 할 수 있는 일은 예수 그리스도를 통해 하나님이 공짜로 주시는 영원한 생명을 받는 것뿐이랍니다.

탐험하기

앗! 성경대로다

준비물 학생용 교재 44쪽, 연필

신명기 6장 7절을 읽고, 말씀에 기록된 4개의 장면을 그림에서 찾아 ○표 하게 한다.

— 오늘의 성경 이야기에서 **하나님은 하나님의 백성에게 하나님의 언약을 떠올려 주셨어요.** 하나님은 이스라엘 백성에게 집에 앉았을 때에든지, 길을 갈 때에든지, 누워 있을 때에든지, 일어날 때에든지 항상 하나님의 말씀을 이야기하라고 하셨어요! 우리는 하나님의 말씀을 잊지 않도록 항상 이야기해야 한답니다.

자음 모음 십자 퍼즐

준비물 **학생용 교재 45쪽, 연필**

힌트에 따라 가로, 세로 칸에 알맞은 자음과 모음을 채워 넣게 한다. 모든 답은 학생용 교재 43쪽의 이야기 성경에 있는 단어라고 일러준다. 그러나 아이들이 기억에 의존해 답을 찾을 수 있게 한다.

—— 오늘 배운 내용에서 10개의 단어를 생각해 내는 것이 쉬웠나요, 어려웠나요? 하나님은 모세를 통해 이스라엘 백성에게 10개 단어보다 훨씬 더 많고 자세하게 하나님이 그들과 맺으신 언약을 떠올려 주셨어요.

이럴래요, 저럴래요? *

① 조건을 걸고 둘 중에 하나를 고를 수 있는 문장을 아이들에게 말해 준 뒤 선택권을 주는 게임이다.

② 인도자가 문장을 제시하면 아이들은 자신이 선택한 대로 인도자의 지시를 따라 뛰어서 이동한다.

예) 1. 내일 비가 오면, 나는 비를 맞으며 놀 거예요(예배실 왼쪽). / 비를 맞지 않게 실내에 있을 거예요(예배실 오른쪽).

2. 10억이 생긴다면, 나는 한꺼번에 써 버릴 거예요(예배실 왼쪽). / 나이 들 때를 대비해서 저축할 거예요(예배실 오른쪽).

3. 하늘을 날 수 있다면, 나는 매일 날아다닐 거예요(예배실 왼쪽). / 힘드니까 가끔 한 번씩 날아다닐 거예요(예배실 오른쪽).

4. 내일 학교가 쉰다면, 나는 공부를 할 거예요(예배실 왼쪽). / 하루 종일 놀 거예요(예배실 오른쪽).

5. 미국 대통령을 만난다면, 나는 하이파이브를 할 거예요(예배실 왼쪽). / 악수를 할 거예요(예배실 오른쪽).

—— 선생님이 말한 문장들을 '조건 문장'이라고 해요. 어떤 일이 일어나면 그 결과 다른 일이 일어나지요. 하나님은 이스라엘 백성에게 약속의 땅에 가게 되면 하나님이 주신 법을 잘 지키고 자손들도 기억하게 하라고 말씀하셨어요. 그러면 그들이 복을 받고 그 땅에서 오래 살 것이라고 말씀하셨어요. 이스라엘 백성은 하나님께 복을 받기 위해서 하나님이 주신 명령에 순종해야 했어요. 하지만 하나님은 아들이신 예수님을 이 땅에 보내셔서 하나님의 조건 없는 사랑을 보여 주시고 우리에게 영원히 사는 복을 주셨어요. **하나님의 계획은 예수님을 보내 하나님의 백성을 죄에서 구원하시고 온 세상에 복을 주시는 것이었어요.**

가스펠 **소그룹**

(10~20분)

보물 상자

나만의 기록장

준비물 학생용 교재 46쪽, 연필

① 성경 암송은 하나님이 누구이신지, 어떤 일을 하셨는지를 떠올려 주는 데 도움이 되는 활동임을 알려 준다.

② 2단원 암송이나 이번 주에 암송할 성경 구절이 있다면 적어 보게 한다.

③ 하나님이 아이들을 위해 행하신 일들을 써 보게 해도 좋다.

— **하나님은 하나님의 백성에게 하나님의 언약을 떠올려 주셨어요.** 나만의 기록장에 적은 글을 보면서 하나님의 선하심을 기억하도록 해요.

메시지 카드

이번 주 메시지 카드로 부모님과 함께 오늘 배운 성경 이야기를 나누어 보라고 한다.

기도

사랑의 하나님, 이스라엘 백성이 끊임없이 잘못을 저질러도 포기하지 않으시고 언약을 지키시는 하나님을 찬양합니다. 우리를 구원하시겠다는 약속을 예수님을 통해서 이루어 주시는 하나님, 감사합니다. 그 위대한 약속을 잊지 않고 하나님께 순종하며 살아가게 해 주세요. 예수님의 이름으로 기도합니다. 아멘.

하나님의 계획은 무엇인가요?

하나님의 계획은 하나님의 백성을 노예 생활에서 구하시는 거예요.

누가 하나님의 법을
완전하게 지킬 수 있나요?

예수님 외에는 아무도 없어요.

모세가 백성에게 이르되

너희는 두려워하지 말고 가만히 서서

여호와께서 오늘 너희를 위하여 행하시는

구원을 보라 너희가 오늘 본 애굽 사람을

영원히 다시 보지 아니하리라

출애굽기 14장 13절

나는 너희의 하나님이 되려고

너희를 애굽 땅에서

인도하여 낸 여호와라

내가 거룩하니

너희도 거룩할지어다

레위기 11장 45절

십계명
(출 20:1~17)

하나님이 이 모든 말씀으로 말씀하여 이르시되
나는 너를 애굽 땅, 종 되었던 집에서 인도하여 낸 네 하나님 여호와니라

1. 너는 나 외에는 다른 신들을 네게 두지 말라

2. 너를 위하여 새긴 우상을 만들지 말고 또 위로 하늘에 있는 것이나 아래로 땅에 있는 것이나 땅 아래 물 속에 있는 것의 어떤 형상도 만들지 말며 그것들에게 절하지 말며 그것들을 섬기지 말라 나 네 하나님 여호와는 질투하는 하나님인즉 나를 미워하는 자의 죄를 갚되 아버지로부터 아들에게로 삼사 대까지 이르게 하거니와 나를 사랑하고 내 계명을 지키는 자에게는 천 대까지 은혜를 베푸느니라

3. 너는 네 하나님 여호와의 이름을 망령되게 부르지 말라 여호와는 그의 이름을 망령되게 부르는 자를 죄 없다 하지 아니하리라

4. 안식일을 기억하여 거룩하게 지키라 엿새 동안은 힘써 네 모든 일을 행할 것이나 일곱째 날은 네 하나님 여호와의 안식일인즉 너나 네 아들이나 네 딸이나 네 남종이나 네 여종이나 네 가축이나 네 문안에 머무는 객이라도 아무 일도 하지 말라 이는 엿새 동안에 나 여호와가 하늘과 땅과 바다와 그 가운데 모든 것을 만들고 일곱째 날에 쉬었음이라 그러므로 나 여호와가 안식일을 복되게 하여 그날을 거룩하게 하였느니라

5. 네 부모를 공경하라 그리하면 네 하나님 여호와가 네게 준 땅에서 네 생명이 길리라

6. 살인하지 말라

7. 간음하지 말라

8. 도둑질하지 말라

9. 네 이웃에 대하여 거짓 증거하지 말라

10. 네 이웃의 집을 탐내지 말라 네 이웃의 아내나 그의 남종이나 그의 여종이나 그의 소나 그의 나귀나 무릇 네 이웃의 소유를 탐내지 말라

1권 위대한 시작 창	2권 하나님의 구출 계획 출, 레, 신	3권 약속의 땅 민, 수, 삿, 룻, 삼상	4권 왕국의 성립 삼상, 삼하, 왕상, 욥, 잠, 전, 시	5권 선지자와 왕 왕상, 왕하, 사, 호, 욘 욜, 렘, 대하, 겔	6권 돌아온 하나님의 백성 단, 스, 에, 느, 말
1단원 창조의 하나님	1단원 구출하시는 하나님	1단원 구원의 하나님	1단원 왕이신 하나님	1단원 계시하시는 하나님	1단원 보호하시는 하나님
1. 하나님이 세상을 창조하셨어요 2. 하나님이 사람을 창조하셨어요 3. 죄가 세상에 들어왔어요 4. 가인과 아벨이 제물을 드렸어요 5. 하나님이 노아와 가족을 구해 주셨어요 6. 바벨탑을 쌓던 사람들이 흩어졌어요	1. 모세를 부르셨어요 2. 이스라엘 백성은 재앙을 피했어요 3. 홍해를 건넜어요 4. 광야에서 시험을 치렀어요 5. 금송아지를 만들었어요	1. 약속의 땅을 정탐했어요 2. 놋뱀을 바라보았어요 3. 하나님이 여리고 성을 주셨어요 4. 죄 때문에 아이 성 전투에서 졌어요 5. 여호수아가 당부했어요	1. 이스라엘이 왕을 달라고 했어요 2. 하나님이 사울을 버리셨어요 3. 다윗이 골리앗과 맞섰어요 4. 다윗과 요나단이 친구가 되었어요 5. 하나님이 다윗과 언약을 맺으셨어요 6. 다윗이 하나님께 죄를 지었어요	1. 엘리야가 악한 아합을 꾸짖었어요 2. 엘리야가 이세벨을 피해 도망쳤어요 3. 하나님이 나아만을 고쳐 주셨어요 4. 하나님이 이사야를 부르셨어요 5. 이사야가 메시아에 대해 외쳤어요 6. 히스기야는 남 유다의 신실한 왕이었어요	1. 다니엘과 친구들이 하나님께 순종했어요 2. 사드락, 메삭, 아벳느고를 구하셨어요 3. 다니엘을 구하셨어요 4. 하나님의 백성을 고향으로 데려오셨어요 5. 성전을 다시 지었어요
2단원 언약을 맺으시는 하나님	2단원 거룩하신 하나님	2단원 다스리시는 하나님	2단원 지혜의 하나님	2단원 포기하지 않으시는 하나님	2단원 공급하시는 하나님
7. 하나님이 아브라함과 언약을 맺으셨어요 8. 하나님이 아브라함을 시험하셨어요 9. 하나님이 다시 약속하셨어요	6. 십계명 "하나님을 사랑하라" 7. 십계명 "이웃을 사랑하라" 8. 성막을 지었어요 9. 하나님이 제사의 규칙을 정해 주셨어요 10. 오직 하나님만 예배해요 11. 하나님의 언약을 기억해요	6. 사사들이 이스라엘 백성을 이끌었어요 7. 드보라와 바락이 노래했어요 8. 겁쟁이 기드온이 용사가 되었어요 9. 삼손에게 다시 힘을 주셨어요 10. 룻과 나오미를 보살펴 주셨어요 11. 하나님이 사무엘에게 말씀하셨어요	7. 솔로몬이 지혜를 구했어요 8. 지혜는 하나님께로부터 와요 9. 솔로몬이 성전을 지었어요 10. 이스라엘이 둘로 나뉘었어요	7. 하나님이 호세아를 통해 북 이스라엘에 사랑을 전하셨어요 8. 하나님이 요나를 통해 니느웨에 사랑을 전하셨어요 9. 하나님이 요엘을 통해 남 유다에 사랑을 전하셨어요	6. 에스더를 왕비로 세우셨어요 7. 에스더를 통해 하나님의 백성을 구하셨어요 8. 느헤미야가 예루살렘의 소식을 들었어요 9. 예루살렘 성벽을 다시 세웠어요 10. 에스라가 하나님의 율법을 읽었어요 11. 말라기가 하나님의 말씀을 전했어요
3단원 언약을 지키시는 하나님			3단원 주권자이신 하나님	3단원 새롭게 하시는 하나님	
10. 야곱이 복을 가로챘어요 11. 하나님이 야곱에게 새 이름을 주셨어요 12. 요셉이 이집트로 팔려 갔어요 13. 요셉의 꿈이 이루어졌어요			11. 솔로몬이 산다는 것에 대해 생각했어요 12. 욥이 고난을 받았어요 13. 하나님을 찬양해요	10. 하나님이 예레미야를 부르셨어요 11. 예레미야가 새 언약에 대해 예언했어요 12. 남 유다 백성이 포로로 잡혀갔어요 13. 에스겔이 앞날의 소망을 이야기했어요	

※ 절기 교재

성탄절
1. 왕을 기다려요 2. 천사가 마리아와 요셉에게 나타났어요 3. 예수님이 태어나셨어요 4. 동방 박사들이 왕께 경배했어요
부활절
1. 예수님이 예루살렘에 들어가셨어요 2. 예수님이 부활하셨어요

구약2 성경의 초점과 주제

1단원 구출하시는 하나님

Q 하나님의 계획은 무엇인가요?
A 하나님의 계획은 하나님의 백성을 노예 생활에서 구하시는 거예요.

1. 하나님은 하나님의 백성을 노예 생활에서 건져 내시기 위해 모세를 구하셨어요.
2. 하나님은 하나님만 유일한 진짜 신이시라는 것을 이집트 사람들에게 보여 주셨어요.
3. 전능하신 하나님은 홍해를 갈라 이스라엘 백성이 마른 땅을 건너게 하셨어요.
4. 하나님은 하나님의 백성의 필요를 채워 주셨어요.
5. 하나님은 금송아지를 섬긴 하나님의 백성을 벌하셨어요.

2단원 거룩하신 하나님

Q 누가 하나님의 법을 완전하게 지킬 수 있나요?
A 예수님 외에는 아무도 없어요.

6. 하나님은 우리에게 규칙을 주셔서 하나님은 거룩하시고, 우리는 죄인이라는 것을 알게 하셨어요.
7. 하나님은 우리에게 규칙을 주셔서 하나님과 이웃을 사랑하는 법을 가르쳐 주셨어요.
8. 하나님은 하나님의 백성과 함께 계시기 위해 성막을 지으라고 하셨어요.
9. 하나님은 거룩하시기 때문에 죄에 대해서 희생 제물을 요구하세요.
10. 오직 하나님만 진짜 신이시며, 하나님 외에는 아무도 없어요.
11. 하나님은 하나님의 백성에게 하나님의 언약을 떠올려 주셨어요.

민족의 숫자가 계속 늘어났어요.

파라오는 이스라엘 민족을 노예로 만들었어요.

모세의 어머니는 아기를 갈대 상자에 누이고
나일 강가에 두었어요.

파라오의 딸이 아기를 발견하고,
모세의 어머니가 아기를 돌보게 했어요.

어른이 된 모세는 이집트를 떠났어요.

하나님이 떨기나무에서 모세를 부르시고,
하나님의 백성을 건져내라고 하셨어요.

하나님은 모세에게 세 가지 기적을 보여 주셨어요.

하나님은 형 아론을 모세와 함께 보내셨어요.

기억 그림

10과

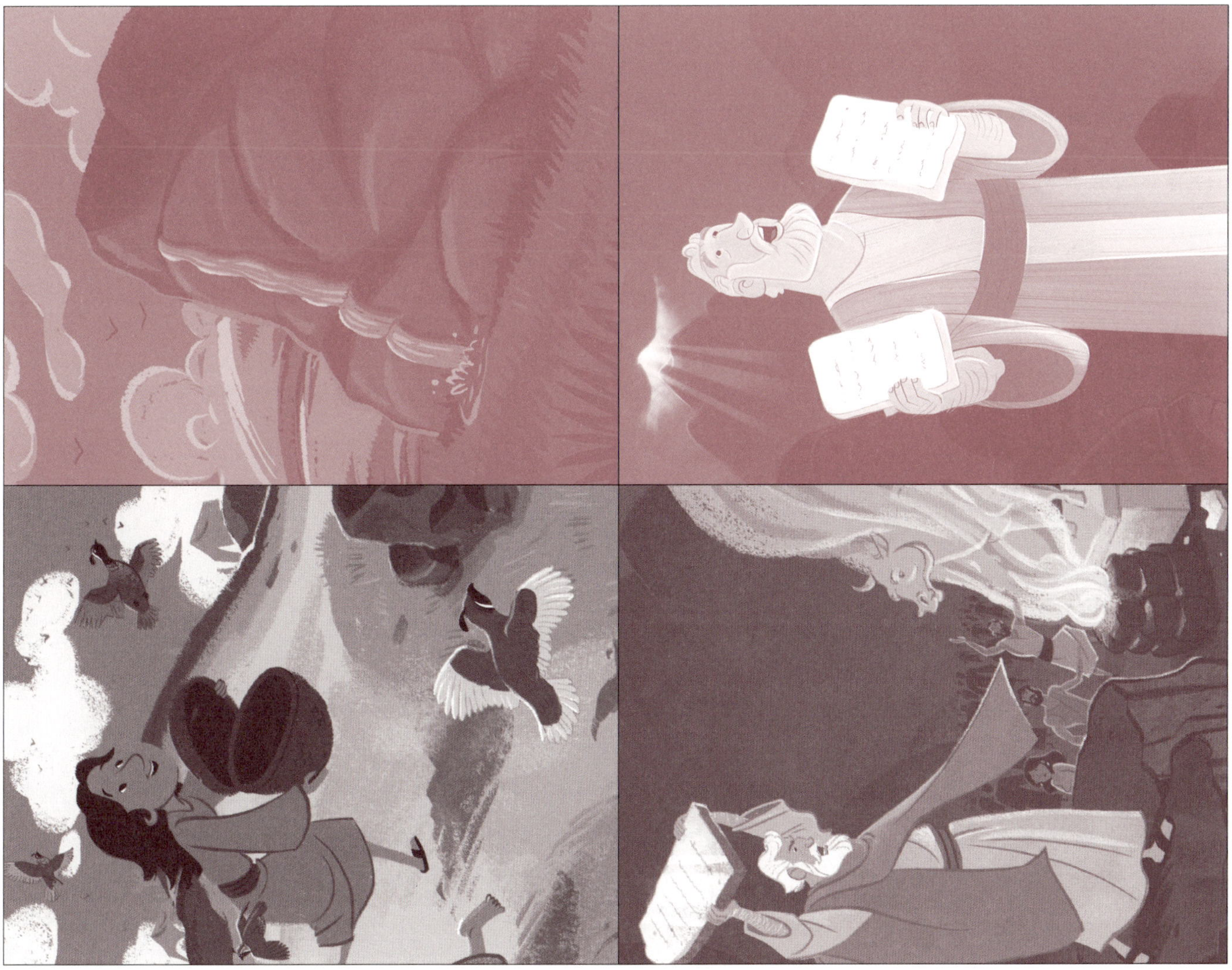

예수님을 만나는 가스펠 프로젝트

Contents

1. 성경 일러스트

벽면에 가로 또는 세로로 일렬로 붙여 연대표로 활용할 수 있습니다.
DVD-Rom에 담긴 성경 일러스트는 최대 A3 사이즈로 확대 출력할 수 있습니다.

2. 악보

단원의 주제를 담은 찬양의 악보입니다.
'가스펠 설교'에서 활용할 수 있습니다. DVD-Rom에 찬양 음원, 악보, 율동 영상이 담겨 있습니다.
"여호와 나를 구원하셨네", "거룩하라"

3. 부가 자료

'가스펠 준비', '가스펠 설교', '가스펠 소그룹'에서 활용할 수 있는 컬러 자료입니다.

4. 연대표

구약2 연대표 : 《구약2-하나님의 구출 계획》의 흐름을 익힐 수 있습니다. 각 권별 연대표를 연결하면 성경 파노라마가 연출됩니다. DVD-Rom에 담긴 연대표는 최대 A3 사이즈로 확대 출력할 수 있습니다.

5. 복음 – 나를 위한 하나님의 계획

'가스펠 설교'의 '복음 초청'에서 활용할 수 있습니다.
DVD-Rom에 담긴 복음 초청 자료는 최대 A3 사이즈로 확대 출력할 수 있습니다.

구약 2-1

하나님은 하나님의 백성을 노예 생활에서 건져 내시기 위해 모세를 구하셨어요.

하나님은 하나님만 유일한 진짜 신이시라는 것을 이집트 사람들에게 보여 주셨어요.

구약 2-3

전능하신 하나님은 홍해를 갈라 이스라엘 백성이 마른 땅을 건너게 하셨어요.

하나님은 하나님의 백성의 필요를 채워 주셨어요.

하나님은 금송아지를 섬긴 하나님의 백성을 벌하셨어요.

구약 2-6

하나님은 우리에게 규칙을 주셔서 하나님은 거룩하시고, 우리는 죄인이라는 것을 알게 하셨어요.

하나님은 우리에게 규칙을 주셔서 하나님과 이웃을 사랑하는 법을 가르쳐 주셨어요.

구약 2-8

하나님은 하나님의 백성과 함께 계시기 위해 성막을 지으라고 하셨어요.

구약 2-9

하나님은 거룩하시기 때문에 죄에 대해서 희생 제물을 요구하세요.

오직 하나님만 진짜 신이시며, 하나님 외에는 아무도 없어요.

구약 2-11

하나님은 하나님의 백성에게 하나님의 언약을 떠올려 주셨어요.

여호와 나를 구원하셨네

작사 : 김민섭
작곡 : 김민섭

거룩하라

작사 : 김민섭
작곡 : 김민섭

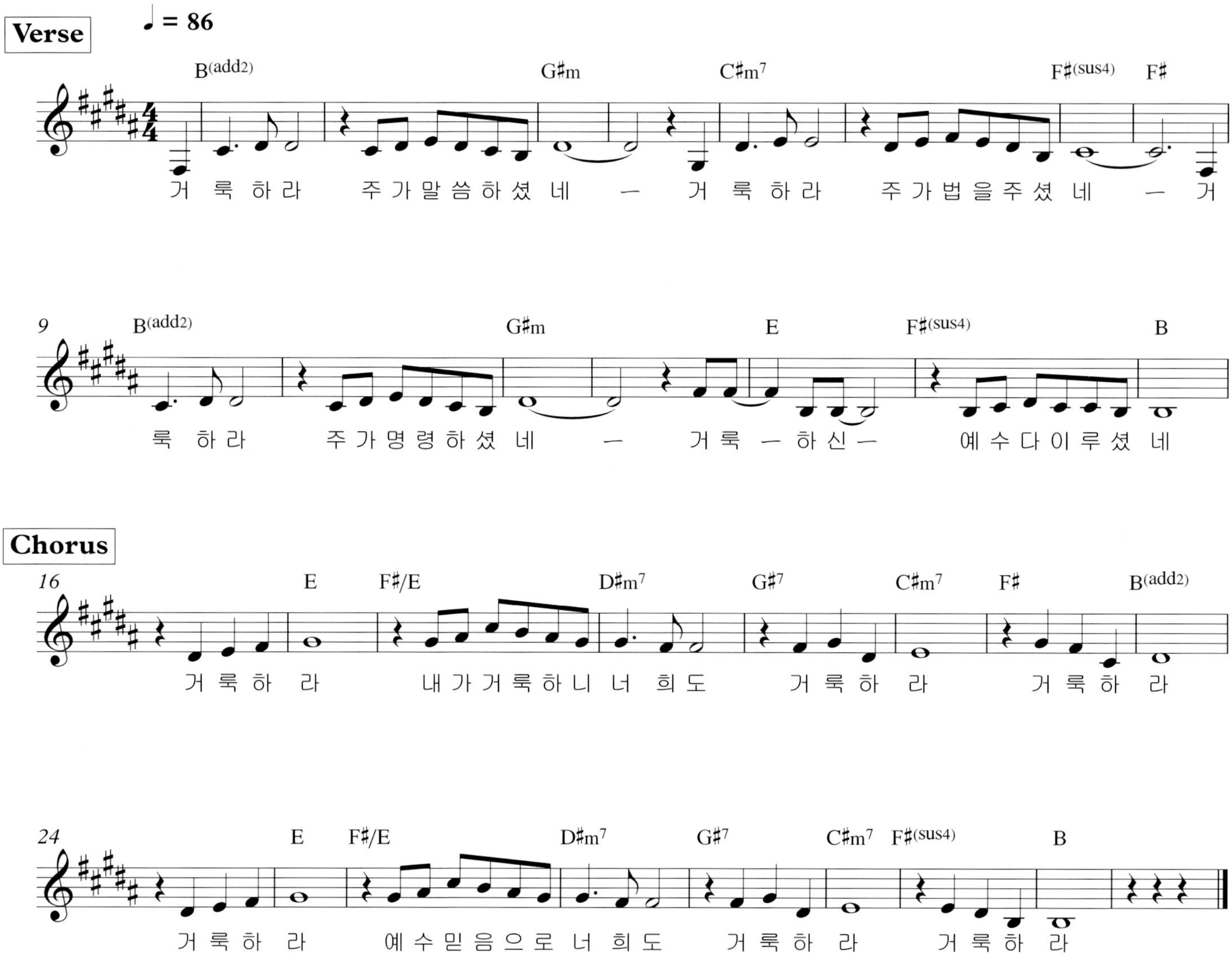